Buscai as coisas do alto

Pe. Léo, SCJ

Buscai as coisas do alto

62ª edição

Editora Canção Nova

Coordenação editorial: Iara Rosa da Silva
Editora: Cristiana Negrão
Capa: Miriam Lerner
Diagramação: Claudio Tito Braghini Junior
Preparação e revisão: Rita de Cássia da Cruz Silva
Simone Zaccarias

Dados Internacionais de Catalogação na Publicação (CIP)
(Câmara Brasileira do Livro, SP, Brasil)

Léo, Padre
Buscai as coisas do alto / Pe. Léo. -- 62. ed. -- São Paulo : Editora Canção Nova, 2008.

ISBN 978-85-99903-13-1

1. Conduta de vida 2. Felicidade 3. Motivação 4. Perseverança (Ética) 5. Sucesso 6. Vida cristã I. Título.

06-8463 CDD-248.4

Índices para catálogo sistemático:

1. Cura interior : Vida cristã 248.4
2. Dificuldades : Superação : Vida cristã 248.4
3. Perseverança : Vida cristã 248.4
4. Sucesso : Vida cristã 248.4
5. Vitória : Vida cristã 248.4

EDITORA CANÇÃO NOVA
Rua São Bento, 43 - Centro
01011-000 São Paulo SP
Telefax [55] (11) 3106-9080
e-mail: editora@cancaonova.com
vendas@cancaonova.com
Home page: http://editora.cancaonova.com

ISBN: 978-85-99903-13-1

"Aquilo que o coração amou fica eterno"
Adélia Prado

Sumário

Salva-te, se queres conservar tua vida.
Não olhe para trás, e não te detenhas em
parte alguma da planície
(Gn 19,17).

Não te detenhas!

Essa ordem que Deus deu a Lot é também uma ordem que Ele, continuamente, dá a cada um de nós. Não se deter na planície significa não se agarrar às coisas pequenas, não perder tempo com coisas insignificantes, não se deixar abater pelos problemas e pelas dificuldades. Infelizmente, muitas e muitas vezes, fazemos uma tempestade em copo d'água, e, às vezes, o copo está só pela metade.

Por causa do pecado, tendemos a ficar parados nas planícies da vida. Na hora da enchente, porém, a planície é o primeiro lugar que se alaga! Com isso, não caminhamos em direção aos grandes objetivos da vida. Quando ficamos presos às pequenas coisas do cotidiano, não progredimos na vida.

Deter-se na planície é permanecer cultivando pequenas mágoas e ressentimentos. O próprio texto bíblico nos ensina um grande segredo para a felicidade: **não olhar para trás**. O passado, por melhor ou pior que tenha sido, não volta. Como a planície que se alaga, nossa vida também acaba sendo alagada pelos problemas, quando damos a eles importância maior do que realmente têm.

Todo rio nasce com uma meta única: chegar ao mar. Mas, quando o rio pára de correr em direção ao mar e começa a voltar atrás, ele causa alagamentos e enchentes. Rio parado é sinal de estragos nos campos e nas cidades. O mesmo acontece conosco. Por isso, além de não olhar para trás, é preciso não se deter, não parar, não estacionar. A vida é dinâmica. O Espírito Santo é movimento. O ser humano é inacabado. O mundo não está completo e pronto. Deus nos confiou seu aperfeiçoamento. Triste de quem acha que já atingiu sua meta.

A moderna ciência de administração de empresas hoje sabe que uma das causas que pode provocar a falência de uma organização é o êxito. A empresa começa a falir quando se acha a melhor, quando acredita já ter atingido seus objetivos. A idéia do êxito causa acomodação. E a acomodação acaba com empresas, casamentos e comunidades.

Outro grande perigo é a preguiça, que gera a falta de garra. No mundo das coisas fáceis, criamos pessoas enfraquecidas, sem determinação, sem coragem para lutar, sem garra e sem uma meta na vida. As pessoas procuram emprego mas não querem trabalho. Quanto mais fácil, melhor. Só que isso acaba transformando o ser humano num fantoche, sem vontade, sem espírito de luta. Em pouco tempo quem se deixa levar pela lei do menor esforço acabará se decepcionando, pois a vida é dura, principalmente, com quem é mole. Daí surgem as pessoas que só sabem reclamar da vida: são amargas, sempre pessimistas, saudosas de um passado que não poderá voltar.

A vida é como andar de bicicleta: se parar, cai, pois o equilíbrio vem do pedalar. O mesmo ocorre com os aviões. Se param, caem. O que sustenta seu equilíbrio é o movimento dos motores.

É bom observar que a bicicleta tem duas rodas e um guidão, ou seja, o equilíbrio depende também de uma direção bem determinada. Quem não tem uma meta facilmente se cansa. É preciso saber para onde ir e ser persistente nessa direção.

Quem estaciona na planície, além de ver apenas o lado negativo de tudo, enxerga com lente de aumento. Já que não tem outros horizontes, só vê o obstáculo e, como se aproxima muito dele, acaba se sentindo pequeno demais para vencê-lo. Essa atitude é alimentada pela acomodação, que muitas vezes é vista como um valor. Pessoa acomodada é considerada uma pessoa boa, que tudo aceita. É uma coitada! Não tem boca para nada. Isso não é qualidade. Jesus disse que o Reino dos céus é dos violentos. Creio que seja este o grande sentido dessa revolucionária palavra de Jesus: é preciso lutar, com garra, para se conquistar o Reino.

O Reino deve ser nossa grande meta. Quem não tem uma meta definida pára em qualquer obstáculo. Quem não sabe para onde vai, e o porquê de sua caminhada, não chega a lugar nenhum. O mesmo ocorre com quem persegue duas metas ao mesmo tempo: não atingirá uma e a outra se perderá.

A acomodação gera isolamento. O acomodado não consegue viver em comunidade, ele vive na comodidade. Cada um em seu cômodo. Ninguém invade o espaço do outro. Essa é a política de boa vizinhança, que gera a morte dos ideais. Quem não tem ideal deixa-se levar por qualquer coisa. É folha agitada pelo vento.

Essa política da boa vizinhança, gerada pela comodidade, gesta pessoas fechadas em si mesmas. Com medo de incomodar, a pessoa não supera os problemas. Ora, sabemos que não existe relacionamento sem conflitos. Isso é impossível. É preciso superar os conflitos, achar soluções por meio do diálogo, da partilha. Um precisa ceder. Ninguém pode se considerar o dono da verdade. Afinal de contas, a verdade nunca é relativa e nem subjetiva. Não existe a "minha verdade".

Nessa política, um acaba protegendo o erro dos outros. que a vida é dinâmica e ninguém viverá o tempo todo fechado em seu mundinho. As limitações pessoais, cedo ou tarde, virão à tona. E quem não aprendeu a superar seus problemas não conseguirá viver em sociedade, não conseguirá manter um bom emprego, não saberá partilhar sua vida e sua fé numa comunidade.

A acomodação é uma das conquistas do encardido. Seu grande projeto é fazer com que o ser humano se pense pequeno, fraco, dependente de coisas e de pessoas, de cargos e de posições sociais.

O ser humano é chamado a ser grande. No projeto de Deus, o ser humano foi criado para ser o senhor da natureza e de todas as coisas desse mundo. Deus nos criou parceiros. Mas é preciso se convencer da necessidade de multiplicar os talentos. Aliás, esse é o grande verbo bíblico: multiplicar. É a conta que Deus melhor sabe fazer. Ele sempre une nossos esforços com as suas graças. Quando a graça de Deus se encontra com um espírito puro e batalhador, os milagres acontecem.

Na grande parábola dos talentos (Mt 25,14ss), um dos servos ganhou um talento e o enterrou. Depois veio com a esfarrapada desculpa de que teve medo. Mas o senhor não aceitou essa desculpa e o medroso acabou perdendo até mesmo esse talento. Quem não multiplica seus dons acabará perdendo tudo. É preciso frutificar os dons. Não podemos nos acomodar, nunca.

Em outra versão dessa mesma parábola, no Evangelho de Lucas (Lc 19, 11-28), um senhor chamou dez servos e deu-lhes dez minas, dizendo: negociai. Quando voltou o senhor, chegou a hora de prestar contas. Somente três servos se apresentaram. Dos outros sete, não se fala nada e do terceiro se diz o mesmo na tradução de São Mateus. Não há desculpas para quem não frutifica seus dons. Esse é um eterno derrotado, que acabará perdendo até mesmo as pequenas coisas que conseguiu ou herdou. A vida não tem pena de quem não luta.

Se nos acomodamos, tornamo-nos pessoas desanimadas, acostumadas às coisas fáceis, sem espírito de luta. A vida não é fácil. O ser humano nasceu para se superar e superar os obstáculos. O ser humano nasceu para crescer, e crescer muito. E isso é possível na medida em que aprende a partilhar seus dons e talentos. Quem não partilha seus dons acaba morrendo de fome na miséria.

Um menino chegou para o seu mestre e perguntou:

– Mestre, qual é a grande diferença entre o céu e o inferno?

– Nenhuma.

– Como, nenhuma? Então, por que lutar para ir para o céu? E por que lutar para não ir para o inferno?

– Vamos fazer uma comparação. Para você, qual é a coisa mais importante do mundo?

– Para mim, é uma panela cheia de arroz.

E o mestre disse ainda:

– O céu e o inferno são os lugares que têm essas duas panelas de arroz.

– Então, qual é a diferença?

– Filho, quando a gente morre, a medida do nosso caixão é usada como modelo para fazer o cabo da colher eterna.

– Cabo da colher eterna?

– Conforme o tamanho da pessoa, se faz o cabo da colher, e esse cabo é grudado em sua mão com uma cola especial e nunca mais sai. E no inferno é essa a tristeza, porque existe aquele panelão de arroz, e a pessoa tenta comer o arroz com uma colher com dois metros de cabo. As pessoas tentam comer, mas não conseguem, por isso começam a brigar.

– De que adianta ter arroz, de que adianta ter colher, se o braço é desse tamanho?

– O arroz não acaba, mas as pessoas morrem de fome. Isso é o inferno.

– E o céu, mestre?

– É a mesma coisa.

– Qual é a diferença, então? No céu o cabo é mais curto?

– É do mesmo tamanho, e às vezes chega a ser maior, porque acrescenta todas as boas obras que você fez.

– Aí é pior, então. Não entendo, mestre. Qual é a diferença?

– A diferença é que no céu estão aqueles que aprenderam a encher a colher e tratar o outro, e o outro, que está satisfeito, trata o outro, e o outro trata o outro.

Essa é a visão do mundo: as pessoas que se detêm na planície transformaram a panela de arroz em inferno. Onde todos têm dons, e cada um recebeu muitos dons, mas está querendo os dons só para si, e todos aqueles dons que queremos para nós mesmos acabam morrendo. É preciso aprender a partilhar: um precisa tratar o outro.

O marido precisa esticar seu braço nessa panela do amor de Deus e levar amor, misericórdia e ternura para sua esposa. A esposa precisa esticar essa mão e seu coração, e quando amamos o coração alonga os braços, para ir ao encontro do outro. É preciso partilhar os dons, é preciso dinamizar. Para quem só pensa em si resta somente a estagnação.

Dois rapazes moravam na mesma fazenda quando o pai morreu. O que era solteiro ficou morando na casa em que o pai morava. O casado morava na casa ao lado. Eles tinham uma plantação imensa de arroz e um celeiro em comum, e combinaram de trabalhar juntos e dividir tudo. Colheram dezenas de sacos de arroz, metade para um e metade para o outro, e assim fizeram dois celeiros. Fizeram uma boa colheita, estavam com os depósitos cheios. No final da tarde, o irmão solteiro começou a pensar que aquela divisão não estava certa. Pensava: "Eu sou solteiro e meu irmão é casado, tem mulher e filhos. Ele precisa de mais arroz do que eu, pois sou sozinho." À noite, ele se levantou, foi ao celeiro dele, pegou um saco de arroz, escondido, e colocou no celeiro do irmão.

O irmão acordou na manhã seguinte e começou a pensar: "Essa divisão não está justa, pois sou casado, tenho minha mulher e meus filhos. E eles vão crescer e poderão me ajudar. Mas meu irmão, coitado, ele é sozinho. E se ele não casar, não vai ter ninguém por ele. O certo é ele ganhar uma parte a mais que eu." Levantou, foi a seu celeiro, pegou um saco de arroz e colocou no celeiro do irmão. E assim foram vivendo: a cada colheita, um levava uma parte a mais para o outro. Só não entendiam como é que sempre ficava a mesma quantidade para cada um.

Uma bela noite, o relógio biológico se confundiu. Horário de verão e os dois se levantaram na mesma hora e se encontraram no meio do caminho. Um olhou para o outro. Colocaram o arroz no chão, se abraçaram, e choraram. A partir daquele dia, fizeram um único celeiro.

Peça ao Senhor a graça de fazer a experiência do amor infinito, que cura, que restaura e transforma sua história.

Reze comigo

Eu não quero olhar mais para trás. Nesse momento, tomo a decisão de não ficar mais parado na planície. Senhor, tenho sido essa pessoa amarga porque só penso em mim mesmo. Ensina-me a partilhar, Senhor. Ensina-me a frutificar os dons que o Senhor mesmo me deu, eu não quero mais ficar atolado na planície do pecado, da televisão, do boteco. Eu te suplico, Senhor, transforma e restaura meu coração e liberta-me de todo comodismo, de todo egoísmo, de todo espírito de tirania, e, a exemplo de tua Mãe, dá-me a graça de ser servo. Eu preciso aprender a colocar o arroz na boca do outro. Mais que esse arroz, Jesus nos deixou a Eucaristia, que precisamos aprender a colocar um na boca do outro. Dá-me, Senhor, a graça de aprender a partilhar. Eu quero amar, mas sozinho eu não posso mais. Vem, Espírito de Deus, e me ensina a partilhar aquilo que eu sou e aquilo que eu tenho. Estica ainda mais os meus braços, Senhor. Oxalá eu pudesse ter o cabo dessa colher que atingisse e acabasse com a fome desse mundo inteiro. Mas sozinho eu sou fraco, Senhor.

Pedro tomou a Palavra e disse: "Explica-nos essa parábola?" Jesus respondeu: "Também vós ainda não entendeis, não compreendeis que tudo que entra pela boca vai ao estômago e depois é evacuado na fossa. Mas o que sai da boca vem do coração, e isso é que o torna impuro. É do coração que saem as más intenções: homicídios, adultérios, imoralidade sexual, roubos, falsos testemunhos, calúnias. Isso é que torna alguém impuro" (Mt 15,15-20).

Estava próxima a Páscoa dos judeus; Jesus, então, subiu a Jerusalém. No templo, encontrou os que vendiam bois, ovelhas e pombas, e os cambistas nas suas bancas. Então fez um chicote com cordas e a todos expulsou do templo, juntamente com os bois e as ovelhas; jogou no chão o dinheiro dos cambistas e derrubou suas bancas, e aos vendedores de pombas disse: tirai daqui essas coisas. "Não façais da casa de meu Pai um mercado" (Jo 2, 13-16).

A necessidade da cura interior

Vejam que maravilha a tradução da Bíblia da CNBB, editada pela Canção Nova. Sem dúvida é uma das melhores traduções que nós, católicos, temos a graça de ter em mãos. O contexto dessas passagens nos ensina muito a respeito da cura interior, de modo especial a cura das mágoas e dos ressentimentos.

O evangelho nos diz que Jesus fez um chicote. Foi intencional: Ele entrou no templo com aquele chicote, derrubou as mesas dos cambistas, gritou com os vendedores e os expulsou, porque o zelo pela casa do Pai devorava seu coração.

Por que Jesus agiu dessa forma, de modo tão violento? Por que a imagem de Jesus que aparece no capítulo 2 de São João é a de um Jesus tão diferente daquele que muitas vezes estamos acostumados a enxergar? Ora, aquilo não foi um descontrole emocional. Poderíamos até pensar que se Jesus tivesse pegado uma vara que estivesse ali perto; alguém poderia até dizer que foi um momento de fraqueza, ou um descontrole. Mas São João, o homem que levou sessenta anos para escrever o evangelho e que pensou e repensou em cada detalhe, não quis pura e simplesmente reproduzir o que os outros evangelistas tinham escrito. Ao afirmar que Jesus fizera com suas próprias mãos o chicote, São João quis nos dizer que Jesus estava muito consciente de sua ação. E se, com tamanha consciência, Jesus, o filho de Deus, no lugar mais importante para o seu povo, que era o templo, é capaz de ter uma atitude dessa, é porque tem de ter uma causa muito séria. E qual é essa causa? A cura interior. É fabuloso quando nós entendemos que nem diante de doenças gravíssimas o Senhor teve atitudes tão sérias. E por que Ele teve essa atitude tão séria?

O capítulo 15 de Mateus está no mesmo contexto do capítulo 2 de João. Assim, como o capítulo 7 de Marcos e o capítulo 6 de Lucas são textos que se comparam. Nesse capítulo de Mateus, quando Pedro pede a Jesus para explicar essa parábola, Jesus falou a respeito do alimento que se come e depois vai para o vaso sanitário, pois os fariseus viviam de aparências. No começo do capítulo 15, os fariseus e os escribas dirigem-se a Jesus, perguntando: “Por que seus discípulos desobedecem às tradições dos antigos? Por que não lavam as mãos antes de comer?" Eles estavam preocupados com normas aparentes. Mas Jesus disse: "Isso não tem importância, porque o que você come entra pela boca, vai ao estômago e depois é evacuado na fossa." E é essa mesma a tradução da Bíblia CNBB. Quer tradução mais explícita?

O que contamina o ser humano não é aquilo que está na aparência, mas o que vem do coração. É interessante que, no capítulo 12, quando os discípulos chegaram para Jesus e perguntaram: "Soubeste que os fariseus ficaram indignados quando ouviram tuas palavras?", Jesus respondeu: "toda planta que não foi plantada pelo meu pai será arrancada. Deixai-os, são cegos guiando cegos". Ora, se um cego guia outro cego, os dois caem no buraco. E foi, então, que Pedro falou: "Senhor, se a coisa é tão séria assim, então nos explica essa parábola". Entendemos então por que Jesus foi tão violento e tomou atitudes tão determinadas, como fazer o chicote, derrubar as mesas, brigar e espalhar pelo chão as coisas. Tratava-se de salvar o ser humano.

A cura interior não é um momento de emocionalismo barato. A cura interior é uma oração de rebeldia e recusa às ciladas do encardido, que é o pai da mentira, senhor da inveja, autor do pecado e o derrotado dos derrotados. Pela inveja que ele tem do ser humano, quer jogá-lo no buraco. Ele quer, então, contaminar o ser humano, mas nós não somos contaminados pelas coisas exteriores.

Jesus diz que nos contaminamos a partir de um coração ferido, um coração machucado, um coração que não ama, e que isso é fonte de desgraça, de sofrimento e de morte. Essa é a razão de o mundo estar vivendo dessa forma. É a razão pela qual sofremos: é porque temos corações feridos e machucados. Mas o Senhor quer curar nosso coração.

O ministério da cura interior em Jesus é tão fundamental que é o único ministério que ele realiza antes de nascer, no nascimento, depois de nascer, na infância e adolescência, na juventude, na idade adulta, na morte e depois da morte. Jesus tinha tanta pressa de curar o coração da humanidade que antes de nascer já exerce seu ministério. Quando Maria visita Isabel, com Jesus em seu ventre, o Senhor cura o coração de Isabel e cura João Batista na barriga da mãe dele. Aquela criança não podia herdar da mãe os ressentimentos. Isabel carregou durante muitos anos mágoas e ressentimentos, até mesmo contra Deus, porque não podia ter um filho. Isso que a psicologia moderna descobriu há quarenta ou cinqüenta anos, a Bíblia fala já há mais de dois mil anos, e não faz apenas um diagnóstico do problema, mas soluciona-o.

Jesus é o único que pode ir à raiz do problema, porque Ele é a expiação de Deus, é o perdão de Deus, e é também o nosso Salvador.

Quando o Vaticano fez uma séria advertência à teologia da libertação, ele o fez porque muitas vezes os chamados teólogos da libertação apresentavam um Jesus Cristo puramente libertador social. E a igreja foi severa e disse: "Isso está errado!" Jesus não é aquele que vem só nos ajudar com a nossa organização social. Hoje eu diria que está na hora de a Igreja mandar uma carta para muitos católicos que pregam um Cristo intimista, como se fosse um terapeuta, o Cristo da Nova Era.

A Nova Era não vai contra Jesus no sentido histórico de falar mal dele, mas quer mostrar um Jesus da era de Aquário. E quem é esse Jesus da era de Aquários? O Jesus da era de Aquários é um profeta poético, que ensina belas parábolas, uma espécie de precursor de Paulo Coelho ou algo assim. É alguém que sabe falar palavras bonitas e leva você a momentos emocionais.

Esse não é nosso Senhor Jesus Cristo apresentado no Evangelho, não é o Jesus Cristo da cura interior. O Jesus Cristo da cura interior não é o Jesus da auto-ajuda. É o Jesus Cristo da rebelião, é o Jesus Cristo que arma um chicote para nos dizer que o primeiro passo é expulsar do coração a raiz disso que está nos contaminando.

Então é difícil buscar o chicote. Mas Jesus mostra que é preciso fazer um chicote. E o que isso significa? Um chicote de cordas corresponde a um monte de pequenas coisas que você deve juntar, amarrar e trançar. Isso quer dizer que eu tenho que fazer um exame da minha consciência, tenho de amar esse chicote e descobrir onde estão minhas áreas fracas. Onde eu sou limitado, em que áreas percebo minha fraqueza.

Muitas vezes, quando ouvimos falar em santidade, logo pensamos que, para ser santo, é preciso morar em um mosteiro, ou em um Carmelo; que para ser santo é preciso se afastar do mundo. Sempre escutamos a expressão "quando eu estava no mundo...", por quê? foi preciso sair do mundo? No dia-a-dia, já descobrimos que é muito fácil ser santo sozinho. Mas, difícil é ser santo convivendo com determinadas pessoas, ser santo em nossa casa, ser santo morando ao lado daquele vizinho, ser santo tendo a sogra que se tem. "Ah, padre, você fala bonito, o padre Jonas fala bonito, eu queria ver se vocês tivessem uma sogra igual à minha." E a sogra deve estar dizendo para outro padre: "Eu queria ver se você tivesse uma nora igual à minha."

É preciso fazer um diagnóstico para saber em quais áreas da vida somos fracos, e isso é duro demais. Por que os fariseus ficaram bravos com Jesus? Porque tinham de tirar a máscara e reconhecer. E o arrependimento, primeiro passo da cura interior, é muito doloroso, não é fácil. Eu me preocupo desde que o Senhor me chamou ao ministério de cura interior e tenho medo de que as pessoas confundam cura interior com auto-ajuda, com coisas mágicas.

Como uma moça que entrou em uma livraria e lá viu: "seção de auto-ajuda". Imediatamente aquilo chamou sua atenção. Impressionada, pegou um livro intitulado *Resolva todos os seus problemas*. Já com o livro nas mãos para pagar, ela perguntou ao vendedor:

– Você já leu esse livro?

– Já, eu li, sim.

– É verdade que ele resolve todos os meus problemas?

– Eu vou ser honesto com você. Eu não diria que ele resolve todos os seus problemas, mas eu diria que ele resolve pelo menos a metade deles.

– Então me dê dois, por favor!

Tenho medo de que as pessoas confundam cura interior com preguiça espiritual, ou com uma vida muito fácil. "Ah, Senhor, estou tão bem, que paz estou sentindo."

Hoje nós não aprendemos a trabalhar os sentimentos, e isso é um problema muito sério. Sabe por quê? Apenas os seus sentimentos revelam quem você de fato é. Minhas idéias não refletem quem eu sou. Posso estar falando convictamente sobre algumas idéias que li em um livro. Veja o caso dos políticos que têm assessoria de imprensa: eles têm pessoas que preparam o texto, dão uma olhada no que foi escrito e, se tiverem facilidade de memorizar, pronto! Posso fazer um longo e bonito discurso, mas não estou mostrando quem sou. Pode ser as idéias de outras pessoas que eu li e decorei. Quando eu tenho a graça de revelar os meus sentimentos, eu estou mostrando quem eu sou.

Não é ouvindo uma música de uma pessoa que você a conhece, pois ela pode ter ido a um estúdio e gravado cada palavra, depois colocado um aparelho que corrigiu sua voz e a fez ficar uma beleza. Pode ser até que alguém com voz parecida tenha cantado no lugar dela. Muitos artistas famosos fazem isso. "Ah, eu conheço fulano, eu li um livro dele". Talvez o livro nem seja dele. Talvez outra pessoa o tenha escrito.

Sabe quando eu conheço de fato uma pessoa? Quando tenho a graça de partilhar seus sentimentos. Nos sentimentos, não temos como fingir. É por isso que a mulher diz: "Padre, meu marido é terrível. No trabalho, é alegre com todos, está sempre rindo, mas, em casa, vive com aquela cara emburrada." Talvez a casa seja o único lugar em que esse homem possa tirar a máscara.

Por que o encardido faz por meio da televisão, principalmente com as novelas, uma campanha contra a família? É porque a família é o único lugar em que você pode ser você mesmo. E a coisa mais gostosa do mundo é ir à nossa casa. Quando fui ordenado padre, pedi para não ser chamado de padre dentro de minha casa. Antes de ser sacerdote, sou filho do Quinzinho e da Nazaré, tenho de tomar a bênção de meu pai e de minha mãe. Lá, posso andar sem *clergyman,* lá sou filho. A comunidade Bethânia é minha casa, e lá também é a mesma coisa. A minha alegria é enorme quando um filho me chama de Léo ou de pai. Precisamos de um lugar onde possamos tirar nossas máscaras, de um lugar onde podemos ser nós mesmos. E esse lugar privilegiado é a família e a comunidade.

O encardido luta contra a família, e tenta criar *fami-ilhas,* onde cada um fica em seu cômodo para não deixar virem à tona seus sentimentos.

Você já percebeu quantos remédios existem para mudar os sentimentos? Se você quer alegria, tome antidepressivo; pode acontecer qualquer coisa, e você continua alegre. Não estou falando de pessoas doentes, que precisam fazer tratamento. Estou falando do uso desses remédios em qualquer situação. Quando é preciso dar a notícia da morte de uma pessoa, logo as pessoas da família recebem um comprimidinho.

O velório é o melhor lugar para perceber aqueles que amam de verdade. Se a pessoa se descabelar e fizer escândalo, certamente é peso na consciência. A pessoa de coração curado sofre, mas é diferente.

O encardido quer destruir nossos relacionamentos, e aqui está a seriedade do problema. Jesus não ia pegar o chicote só por isso. Jesus não estava fazendo psicologia naquele momento. Ele não veio ensinar uma terapia de auto-ajuda. Jesus é

Salvador, e quando ele fala da necessidade da cura interior, está falando em crescimento, em amadurecimento.

Quem não ama vai para o inferno. Quem não ama não pode ir para o céu, e já começa a criar o inferno e a vivê-lo aqui. Jesus falou: "Nisto saberá o mundo que vocês são meus, se viverem o amor" (Jo 13,34-35). Qual é a carteira de identidade do cristão? O amor. E amar quem? A Deus sobre todas as coisas, com toda sua força, com todo seu pensamento, e com todas as suas emoções, com todos os seus sentimentos e com todo o seu corpo, e ao próximo como a si mesmo. Você consegue fazer isso?

Talvez precisemos fazer como o aluno da história a seguir. O professor, ao chegar com uma pilha de provas corrigidas somente com notas zero, um e dois, falou: "Fiquei impressionado ao ver uma turma de alunos burros. O que adianta eu falar e explicar? O pior é que vocês não assumem que são burros! Estou falando para o bem de vocês: deixem de ser burros. Quero ver se vocês pelo menos têm essa coragem de assumir que são burros. O aluno que reconhecer ser burro fique de pé." Todos continuaram sentadinhos. "O aluno que reconhecer que é burro, por favor, fique de pé. Vocês são burros e não aceitam isso?" Genésio se levantou. O professor disse: "Muito bem, Genésio. Ao menos você reconheceu que é burro. Genésio, meu filho, o que levou você a reconhecer que é burro?" Genésio falou: "professor, não acho que eu seja burro, não, mas fiquei com pena de ver o senhor sozinho em pé aí, por isso levantei".

Nunca devemos apontar o dedo para o outro. Quando fazemos isso, apontamos um dedo para a pessoa, um para Deus e três para nós mesmos. Honestamente, você vive esse amor de que Jesus nos fala? Eu não vivo, luto muito, mas não consigo. Há dias em que é difícil amar a mim mesmo: levanto, lavo a minha cara e me dá vontade de xingar a mim mesmo. Por isso eu entendo vocês, principalmente os casados. Imagine, se tenho dificuldade de viver comigo - e digo a vocês, se eu não tivesse calos em meus joelhos, de tanto orar, eu não agüentaria viver comigo -, conviver com o outro deve ser muito penoso em certos dias. Se não fosse Deus, com sua misericórdia, um dia ter olhado para mim, o mundo me conheceria, sim, mas por outras coisas. É muito difícil reconhecer isso.

A única coisa que nos impede de chegar a Deus não são nossos pecados. Pelos nossos pecados, Jesus morreu na cruz. O que nos impede de chegar a Deus é a máscara que colocamos, a casca que vestimos. Jesus disse: "Nisto o mundo saberá que vocês me pertencem." Você é católico? Você é cristão? Você sabia que noventa e sete por cento de todos os fumantes são católicos?

Um padre brasileiro, que faz tese de doutorado em comunicação na Alemanha, cujo tema é cinema, foi estudar, em filmes de todos os gêneros possíveis, como é que o cinema fala de Deus. Obrigado pelo estudo a assistir a uma série de filmes pornográficos, verificou, muito triste, que em quase todos esses filmes havia um crucifixo em uma das paredes. Isso não é um absurdo, isso é um retrato de nosso cristianismo fajuto, de nosso cristianismo que não nos compromete. O mundo tem muitos heróis, mas o maior herói que existe no mundo, e o único que entra no céu, é aquele que pela força do Espírito Santo aprende a dominar a si mesmo.

É muito fácil dominar os outros, é muito simples mandar nos outros. Difícil é mandar em si mesmo, e o único exemplo é Maria de Nazaré. Ela conseguiu mandar em si mesma, quando disse: "Eis aqui a serva do Senhor." Por isso, o encontro de Deus com Maria e o encontro de Deus com Eva são completamente diferentes. O encontro de Deus com Eva se deu em um paraíso, em um lugar maravilhoso. Já o encontro de Deus com Maria ocorreu em uma casinha simples e pobre de Nazaré, com uma menina que fazia os preparativos para seu casamento. Eva cometera o pecado, e quando Deus lhe dá a chance de voltar do pecado, ela inventa uma desculpa. Maria não tinha pecado, mas falou para Deus que era fraca. "Como vai ser isso, pois não conheço nenhum homem?" Deus então encontrou a porta aberta para mudar a história da humanidade, porque achou um coração que era exatamente o contrário de Adão e Eva, que também haviam sido concebidos sem pecado. Maria, na obediência, disse: "Eis aqui a serva do Senhor, faça-se em mim segundo a sua Palavra." Não segundo a palavra da serpente, porque serpente não fala.

Se você quer ser feliz do jeito de Maria, deve obedecer do jeito de Maria, não há outra maneira. Isso não é fácil. Cura interior não é fácil, cura interior é muito difícil, porque é um processo de uma vida inteira. Cura interior é cair e levantar, mas é preciso saber para onde ir. Para chegar à graça da cura interior, é preciso em primeiro lugar querer, e, em segundo lugar, revestir-se dessa força de Deus. Mas isso, por si só, ninguém consegue.

"Padre, eu queria perdoar, mas não consigo." E não conseguimos mesmo, e nas vezes em que perdoamos, na verdade não se trata de perdão, mas de desculpa. Só consigo perdoar se a pessoa reconheceu seus erros, se a pessoa pediu muitas desculpas. Então, em um excesso de bondade, desculpo, mas deixo bem claro: "que isso não se repita!". Isso não é perdão. Perdoar é dar-se a quem não merece. Esse gesto é fácil? Mais do que isso, perdoar é dar-se a quem não merece, pensa que merece e ainda me ofende. É simples? Pois perdoar é mais do que isso. É dar-se a quem não merece, pensa que merece, me ofende e ainda fala mal de mim para os outros. Pergunto novamente: é fácil? Só existe um jeito de perdoar: permitir que nosso coração seja revestido pela ternura e pela misericórdia do coração de

Jesus. Esse é o segredo da cura interior, é o primeiro passo para a cura interior.

Para que isso aconteça, é preciso saber onde queremos chegar. É preciso ter uma meta e não parar na planície.

Você já deve ter visto na televisão aqueles peixes que começam a nadar rio acima para se reproduzir. Peixe fraco não se reproduz. Para se reproduzir, e muito, pois cada peixe consegue reproduzir milhares de outros peixes, é preciso ter coragem de nadar contra a corrente. Você devia assistir um especial sobre a reprodução do salmão. O salmão, por exemplo, é um peixe que vive no mar, mas nasce na água gelada do rio e, quando cresce, começa descer pelo rio até chegar ao mar, onde vive de três a quatro anos em média. Com essa idade, está chegando o final de sua vida, hora da reprodução. Esse peixe, então, precisa sair do mar e começar a nadar riacho acima. O salmão vai subindo, enfrentando as resistências, vencendo os pescadores. Até chegar lá em cima, é um longo processo.

A cura interior é esse processo. Se você não estiver disposto a iniciá-lo, não vai conseguir. Para começar esse processo, é preciso saber antes de tudo onde se quer chegar. Se você quer encontrar o céu, herdar o reino e viver a felicidade, o primeiro passo é **querer** chegar. O segundo passo, absolutamente fundamental, é não dar ouvidos àqueles que estão a seu redor e que não querem que você alcance o céu.

A cura interior exige duas coisas: primeiro a fome de Deus. Uma fome maior do que qualquer outra fome – como fome de comida, de dinheiro, de aplausos, de sucessos. A segunda coisa é tornar-se uma pessoa surda para os burburinhos que o mundo traz. Com auxílio da graça de Deus tornar-se "surdo" como Maria, que tudo guardava em seu coração. Surdos às novelas, às músicas, aos discursos da Nova Era, que pregam uma felicidade fácil. É preciso fechar os ouvidos a esses barulhos que há no mundo e ter uma fome profunda de encontrar-se com Deus. Quando conseguimos isso, é certo que demos o primeiro passo para que Deus realize em nós o que ele quer realizar, porque Deus nos criou para que sejamos felizes e curados.

Mas não é fácil. Fácil é ir para o inferno, porque o caminho do inferno é largo, e é descida. O caminho do céu é estreito, e é subida, mas é possível chegar lá. E a grande definição de cura interior é seguir Jesus. Ser uma pessoa de coração curado é ter a coragem de segui-lo.

"Não se perturbe o vosso coração, crede em Deus, crede também em mim. Deixo-vos a paz, dou-vos a minha paz. Não como o mundo dá. Mas tende coragem. No mundo tereis preocupações. Não se perturbe o vosso coração, nem tenhas medo!" (Jo 14,1-27).

"Eu vos disse essas coisas para que em mim tenhais a paz. No mundo tereis aflições. Mas tende coragem! Eu venci o mundo" (Jo 16,33).

Não se perturbe o vosso coração

Se queremos ser semeadores da paz, precisamos ter essa convicção. Quando sabemos aonde vamos, quando temos uma meta, nada que nos aconteça de bom ou de ruim pode tirar nossa paz. Quando nos detemos em fatos isolados de nossa vida, ficamos ali remoendo o que aconteceu e comentando com cada um que chega. Queremos passar para o outro a emoção que sentimos, mas, como isso é impossível, acabamos por aumentar o fato. Como o ditado anuncia: quem conta um conto aumenta um ponto. Enquanto você descreve sua desgraça, a outra pessoa tenta lembrar-se de uma desgraça pior para lhe contar. Se você isolar o problema na vida, você não vê a vida.

Havia um rei que era ateu. A maior raiva desse rei era um empregado carismático que ele tinha. Diante de tudo o que acontecia, o empregado dizia:

– Deus seja louvado, Deus sabe o que faz e Deus é bom e maravilhoso.

Aquilo irritava o rei, mas ele era um bom empregado e defendia-o, como segurança pessoal. Qualquer coisa que acontecia, boa ou ruim, esse empregado sempre falava:

– Muito obrigado Senhor, louvado seja Deus, aleluia, glória.

Um dia eles foram caçar. Estavam lá no meio do mato quando, de repente, uma fera atacou o rei. O empregado disse:

– Deus seja louvado, aleluia, Senhor!

Foi expulsando a onça, mas não conseguiu impedir que o animal devorasse a ponta do dedo do rei. O rei ficou furioso e ao voltar para o palácio ainda teve de escutar:

– Graças a Deus, louvado seja Deus que a onça foi embora.

– Louvado seja Deus, porque o dedo não é seu! – respondeu o rei. Furioso, quando chegou ao palácio, chamou os guardas e falou:

– Prendam esse homem, ele não me defendeu.

Todos os dias, na prisão, o empregado louvava a Deus. O rei estava sossegado e tranqüilo, pois tinha afastado de sua convivência aquele traste de empregado. Passado o susto, alguns dias depois ele foi caçar novamente.

Estava na selva quando foi capturado por índios canibais. Chegou a dizer:

– Eu sou o rei, não podem fazer mal a mim.

Apesar de seus argumentos, foi levado para ser devorado. Puseram um caldeirão no fogo, começaram a dançar e gritar: "Uh, uh, uh." O rei já estava começando a rezar. Quando estava tudo pronto para o sacrifício, um sacerdote chegou para examinar a oferenda. Ao perceber a falta do dedo do rei, libertou o prisioneiro, pois ele não servia como oferenda.

O rei foi para casa e começou pensar que seu empregado tinha razão. Como podia imaginar? Se tivesse todos os dedos, estaria morto naquela hora. Lembrou-se de que o empregado dissera que Deus podia tirar muitas coisas boas a partir de uma coisa ruim.

Percebendo a injustiça que havia cometido, o rei foi pessoalmente libertar aquele homem: – Queria pedir perdão, pois fui injusto. Você tinha razão. Quando estava amarrado para ser sacrificado, pensei nesse seu Deus, e em seu jeito de rezar e louvar, e me arrependi. Mereço seu perdão?

– O que é isso, majestade? Deus seja louvado, que bom que o senhor está vivo, louvado seja Deus, Deus é bom.

– Uma coisa eu não entendo: Deus é injusto.

– Que é isso, seu rei! O senhor não pode falar um negócio desse de Deus! Deus é bom demais, Deus sabe o que faz, e tudo concorre para o bem daqueles que o amam.

– Se Deus é tão bom, e o senhor acredita tanto nele, por que esse Deus permitiu que o senhor ficasse preso e injustamente?

– Eu queria muito louvar e agradecer a Deus, e esse tempo de prisão foi muito bom para mim. Glória a Deus, louvado seja Deus. Foi o tempo de que precisei para me arrepender de meus pecados, pude ler a Palavra, tive sossego para rezar, fiz uma reflexão de toda a minha vida e percebi quantas coisas eu preciso mudar. Vi o quanto Deus é maravilhoso e o quanto ele tem cuidado de minha vida.

– Mas como o senhor me explica essa injustiça de Deus?

– Eu inclusive louvo muito a Deus, porque se não fosse a cadeia eu estaria morto agora.

– Morto?

– Claro, majestade. Meus dedos são perfeitos e, se não estivesse preso, estaria com o senhor. Se eles não comeram o senhor, certamente comeriam a mim.

E assim é a vida. Aquela prisão salvou a vida daquele homem. Não foi a vontade dele. O próprio rei disse: Você esteve jogado em uma prisão injustamente. Mas se você coloca sua vida nas mãos de Deus, Ele é poderoso o suficiente para transformar até prisão injusta em uma fonte de vida e de salvação para você e para toda a sua família. Deus não permite o mal. O mal acontece pelo egoísmo humano, é provocado pela calúnia humana. O mal nós mesmos o provocamos, com nosso jeito de comer, de beber, nosso jeito de dormir.

Nossa ânsia de querer ganhar mais e mais nos leva ao egoísmo humano, à vaidade e à prepotência. Quantos absurdos se fazem no mundo? Quantas pessoas ricas são infelizes? E pessoas com tão pouco, quando se unem, conseguem realizar coisas maravilhosas. Ah, se cada um partilhasse um pouco mais seu dinheiro, seu tempo, sua inteligência! Viver da providência de Deus não é viver na preguiça, é fazer sua parte e confiar em Deus.

Muitas vezes falo para meus filhos em Bethânia que o que mata o pasto não é o mata-pasto, é a preguiça de arrancá-lo. Essa é a nossa parte. Deus faz a parte dele e eu preciso fazer a minha. Se quero ser semeador de paz, a grande Palavra é: "Não se perturbe o vosso coração." E quem me diz isso é Jesus. É Jesus que olha para mim e para você e diz: "Não se perturbe o vosso coração." Aconteceu uma desgraça? "Não se perturbe o vosso coração." Primeira condição para não se perturbar o coração: Pegue seu passado e entregue nas mãos de Deus. Tudo o que você já fez ou deixou de fazer no passado não volta mais.

O rio vai pequenininho acolhendo as águas, porque a meta dele é chegar ao mar. Ele não volta, se voltar faz um estrago medonho. Se você quer ser semeador da paz, viva essa linda experiência de não perturbar o coração. Perturbar é *turbar* por todo. "Ah, padre, já fiz tantas coisas erradas, será que Deus me perdoa?" Se você quer mesmo viver a linda experiência de não perturbar seu coração, entregue seu passado a Deus, mesmo que tenha tido muitas experiências difíceis. A grande ordem de Jesus é também para os piores dos pecadores: "não olhe para trás!". Não é por acaso que Jesus jamais, em nenhuma circunstância, fez perguntas sobre o passado de nenhuma pessoa, por pior que ela tenha sido, e lembremos que ele teve contato com pessoas muito pecadoras. Essa foi a experiência que mais tocou meu coração de jovem e continua tocando meu coração de padre. Imaginem o tamanho do pecado de Pedro, que era papa. Jesus havia dito: "Tudo aquilo que você ligar na Terra será ligado no céu, e tudo o que você desligar na Terra será desligado também no céu." Ao negar Jesus, o que Pedro fez? Desligou Jesus da salvação. E para mostrar a gravidade do pecado, ele negou Jesus três vezes. E por que Pedro negou Jesus três vezes? Porque ele negou o Pai, o Filho e o Espírito Santo. O absurdo dos absurdos da negação de Pedro está na condenação da Santíssima Trindade ao inferno. Nós rezamos no credo que Jesus foi ao inferno, mas ele foi para salvar.

Onde chega o amor de nosso Deus! Em toda a história da humanidade, ninguém nunca cometeu um pecado maior do que o de Pedro, nem mesmo na época em que papas cometeram pecados morais. Nesses dois mil anos de cristianismo, porém, nunca tivemos nenhum papa que tenha cometido um erro teológico, um erro de fé. É a assistência do Espírito Santo a essa Igreja, porque Jesus disse: "As portas do inferno não prevalecerão contra ela."

Mesmo diante de Pedro, o homem que cometeu o maior pecado da face da Terra, Jesus não fez nenhuma pergunta sobre seu passado. Jesus apenas falou: "Pedro, tu me amas?". Sou apaixonado pelo capítulo 21 de São João. A cada vez que vou à Terra Santa, sinto a mesma emoção quando me dirijo à beira daquela praia. Pedro tinha desistido de tudo e foi pescar, e os outros foram juntos. Voltou à vida antiga, voltou a ser o pescador de antes, mas tinha esquecido tudo de pescaria. Com outros pescadores, trabalhou a noite inteira e não pescou nada. Sem Jesus, nada dá certo, mesmo. Jesus chegou de manhã na praia, Pedro não o reconheceu. Quando estamos em pecado, nunca conseguimos reconhecer Jesus. Quando olhamos demais para nós mesmos, não vemos Jesus, mesmo que ele esteja ao nosso lado.

Como na ocasião em que os dois discípulos de Emaús, por terem o coração fechado no pecado, tão perturbado, não conseguiram enxergar Jesus que caminhava o dia todo com eles. Eles não conseguiram sentir o cheiro de Jesus.

Assim, Pedro também não conseguiu perceber que Jesus se aproximava. E Jesus vai pedir comida, vai ao pecador como se precisasse dele. Do mesmo jeito que Jesus falou para a Samaritana: "dá-me de beber". Ele, a fonte da Água Viva, pede a uma mulher prostituída da Samaria que lhe dê de beber. Ele, o Pão da vida, pede de comer a um pescador da Galiléia que o havia negado três vezes.

Ah! Que Deus é esse? Que Deus se faz pequenino para ficar do nosso tamanho para nos levantar? Aquele homem que acompanhou Jesus a vida inteira, que participou dos grandes milagres de Jesus e que viu todos os seus principais milagres. Aquele homem que esteve com o Senhor sozinho rezando no monte, quando Jesus lhe pede um pãozinho e um peixe, diz: "Eu não tenho nada". Esse Pedro sou eu e é você também. Depois de repetidas graças que Deus nos dá, continuamos dizendo: "eu não tenho nada, Senhor". Fechado em meu egoísmo, não dou nada para Deus. Preso em meu comodismo, em minha miséria, não saio de mim mesmo para o encontro com o outro. Jesus, mais uma vez, diante da miséria do coração fechado de Pedro, manda que ele jogue a rede no lado direito, como querendo dizer: "jogue direito essa rede". Ainda bem que Pedro obedeceu. Se, apesar de tudo, ainda sobrar essa obediência à Palavra é suficiente. Acontece, então, algo maravilhoso: a quantidade de peixes foi tão grande que os pescadores não conseguiam trazer sozinhos. Nesse momento, João diz: "É o Senhor."

Pedro não teve dúvidas: vestiu rapidamente a roupa, pulou na água e foi nadando ao encontro de Jesus. Quando chega à praia, Jesus tinha feito uma surpresa: já tinha brasas preparadas, ou seja, tinha feito uma fogueira. E por que Jesus teria feito uma fogueira? Jesus preparou a fogueira para curar Pedro, que o negara em torno de uma fogueira. Jesus sempre faz uma fogueirinha para esquentar nosso coração com seu amor. Quando Pedro viu a fogueira, lembrou-se: "É, foi diante de uma fogueira que eu andei fazendo umas bobagens."

Três vezes a rede é mencionada. Na primeira, diz que os pescadores pegaram tantos peixes que nem todos juntos conseguiram puxá-la. Jesus chegou, Pedro se aproximou e os outros conseguiram arrastar as redes. Juntos, não conseguiam trazer uma rede, então Pedro os deixou e foi ficar perto de Jesus. Só então os pescadores tiveram forças suficientes para trazer as redes.

Se você quer estar com a força da Igreja, esteja na Igreja que tem Pedro perto de Jesus. Quando estamos longe de Jesus, somos fracos, não conseguimos nem puxar uma rede de peixes. Não resolvemos nem um probleminha de nada. Se nos colocamos perto de Jesus, na Igreja de Pedro, os outros conseguem trazer as redes. E se a Igreja está perto de Jesus, qualquer um de nós é Pedro para buscar essa rede, pois o que age em nós é a força do Espírito Santo, prometida pelo Senhor. A força do alto.

A transformação já estava acontecendo. Mas por que Jesus foi à praia? Para dizer a Pedro: "Não se perturbe o vosso coração", pois o coração de Pedro estava tão perturbado que São João diz que ele, logo após ter negado Jesus, começou a chorar. Tão perturbado que ele voltou a ser pescador.

Para devolver a paz que Pedro tinha perdido, Jesus não fez nenhuma pergunta sobre seu passado e nem retoma tudo o que ele fez. Para curá-lo, Jesus olha em seus olhos e pergunta: "Pedro, filho de Jonas, tu me amas?" E Pedro diz: "Sim, Senhor, tu sabes que eu te gosto."

O grego tem três termos para falar *amor.* O amor divino é *ágape,* o amor sexual é *eros* e o amor de irmão ou de amigo é *filos.* Na tradução grega, usam-se os dois termos. Jesus usou o termo grego *ágape*, e a resposta de Pedro foi fabulosa. Pedro não respondeu em *ágape,* Pedro falou *filos,* ele usou uma palavra mais fraca. Jesus olha de novo e pergunta pela segunda vez: "Pedro, tu me amas?' E Pedro é honesto: "Sim, Senhor, tu sabes que eu te gosto." Jesus queria queimar todos os pecados de Pedro na fogueira, e pergunta pela terceira vez: "Simão, Filho de Jonas, tu gostas mesmo de mim?". Pedro abre o coração e sua resposta é: "Senhor, sabes tudo, sabes que eu te gosto!"

Como é fabuloso nosso Deus. Jesus não força Pedro a fazer aquela proclamação de amor tenebrosa, fingida. Jesus desceu ao nível de Pedro e ele abriu o coração: "Senhor, sabes tudo, sabes a miséria que eu sou, sabes os meus pecados, tu sabes tudo, Senhor. E sabes que eu gosto profundamente do Senhor, e sabes que eu quero um dia amar o Senhor a ponto de dar minha vida se preciso for, e por isso está aqui o que eu sou. Toma, Senhor."

Hoje, Jesus está marcando um encontro conosco em nossa praia. Não se perturbe o seu coração, entregue seu passado ao Senhor, por pior que tenha sido. "Será que Deus perdoa aquele pecado tão grave, padre?" É muito fácil saber: coloque a mão no coração, se estiver batendo... Quem deu corda nele? Quem fez sua unha crescer, seu cabelo? Cada vez que nosso coração bate é Deus que diz: "Eu te amo, eu te amo." Ou: "Eu acredito em você, eu acredito em você." "Ah, padre, tantas coisas aconteceram de errado em minha vida." Na minha também, mas estou vivo.

Os problemas vêm e vão. "Ah, padre, mas sofri muito na infância." Sofreu, acabou. "Falaram mal de mim." Sabe quando ficamos tristes ao falarem mal de nós? Quando falaram algo que tentamos esconder. Se não for verdade, não dói. Se eu estiver com dor de dente e tomar um gole de água, meu dente vai doer mais. Mas não é a água que faz meu dente doer, é a cárie ou a sensibilidade. Está com seu coração cariado? Se você está com seu coração ferido, cure-o. Por isso, escrevi muitos livros de cura interior e cada dia Deus me mostra mais aspectos importantes.

Em Bethânia, todos os meses, fazemos retiros de cura interior, e vou aprendendo como Deus me cura por meio daquilo que falo para as pessoas. Deus me cura através de meu relacionamento com as pessoas. A cada dia posso dizer que estou sendo uma pessoa curada. Amo celebrar a missa, está entre o que mais gosto de fazer como padre. Mas as missas que eu mais gosto de celebrar não contêm multidões. Não consigo celebrar uma missa com pessoas falando, crianças chorando e andando para lá e para cá. Aquilo faz doer meu coração. As missas que eu mais gosto de celebrar são na minha casa, na minha capelinha. Todo dia, antes de celebrar a missa, tomo banho, faço a barba, preparo o sermão, sublinho direitinho na Bíblia como se fosse para uma multidão de pessoas. Mas não é só pelo silêncio que eu gosto de celebrar missas para poucas pessoas. É que eu gosto, sobretudo, do momento em que colocamos diante de Deus nossa fraqueza e pedimos perdão.

As orações que meus filhos, lá da comunidade fazem me atiram ao chão, porque eles vão se desmascarando. É muito bom viver como vivo, em uma comunidade de pessoas que tiveram experiências terríveis de drogas e prostituição. Ninguém ali precisa de máscaras, todos sabem que estão lá porque tiveram problemas sérios na vida. É por isso que ninguém fica julgando ninguém.

Nossas orações são tão lindas que agem em meu coração e me dão forças. Quando falamos: "agora vamos fazer os pedidos ao Senhor", é preciso interromper, porque senão vai uma hora inteira só de pedidos. Colocam a vida, confessam grandes pecados - e pecados mortais - na frente dos irmãos. É essa honestidade que falta, infelizmente, à maioria dos cristãos católicos hipócritas que põem uma máscara de cristão, que se dizem muito santos e renovados, que se acham melhores do que os outros a ponto de perder tempo falando mal dos outros, julgando e condenando. Meu Deus, que bom que Jesus desce a nosso nível e fica de nosso tamanho, como fez com a Samaritana, quando sentou ao lado dela no poço. Quando trouxeram até Jesus a mulher prostituída e disseram: "Essa mulher foi pega em flagrante adultério, pela lei tem de ser apedrejada", o que ele fez? O Senhor agachou-se, ficou do tamanho dela e disse: "Quem não tem pecado, atire a primeira pedra."

O ladrão Zaqueu, aquela tampinha, subiu na árvore porque se achava mais que os outros. "Desça daí, Zaqueu, eu vou jantar em sua casa." Ele não deve ter descido, ele deve ter caído no chão. E Jesus amou Zaqueu. Não ficou acusando-o. Quando terminou o jantar, Zaqueu abriu seu coração e disse: "Senhor, se eu pequei, vou dar a metade de meus bens e, se tiver defraudado alguém, restituirei o quádruplo." Jesus olhou para ele: "Oh, meu menino, meu 'toquinho de amarrar bode', hoje a salvação entrou na sua casa." Jesus condenou Zaqueu? Jesus condenou a Samaritana? O Pedro? O Léo?

Deus nos ama e não está esperando o amanhã, ou depois de amanhã, ele quer dizer para você agora: "Eu tenho esperado esse momento, tenho esperado que viesse a mim, tenho esperado que me fale, tenho esperado que estivesse assim. Eu sei bem o que tem vivido, sei também que tem chorado. Eu sei bem que tem sofrido, pois permaneço a seu lado. Ninguém o ama como eu.

Deixe seu coração repetir esta frase: "ninguém me ama como Deus". É por isso que você pode hoje fazer essa experiência de não deixar que nada nem ninguém perturbe o seu coração. Entregue seu coração ao Senhor. Abra seu coração porque estou à porta e bato, se você abrir eu entro e trago o Pai e o Espírito juntos e vamos fazer festa em sua vida, em seu coração. Festa em sua história. Nunca mais sua vida será a mesma.

Tome posse dessa graça, tome posse dessa cura, tome posse dessa restauração. Abra seu coração, estou batendo por meio de canção, de pregações. Estou batendo por meio da Eucaristia, de pessoas. Eu estou esmurrando a porta de seu coração. Deixe-me entrar nesse coração ferido, machucado, empedernido, mas que só você pode abrir.

Examinai tudo: abraçai o que é bom. Guardai-vos de toda a espécie de mal (1Ts 5,21-22).

Amar o bem

O texto da carta aos Tessalonicenses é uma grande palavra de ciência, uma grande palavra de profecia, para que se cumpra em nossa vida tudo que São Paulo falou antes de chegar a essa quase conclusão de sua carta. A Carta de Paulo aos Tessalonicenses é o primeiro texto do Novo Testamento, um texto escrito nos primeiros anos do ministério de Paulo. Jesus morreu e ressuscitou no ano 30, Paulo se converteu no ano 35/36, ficou quatorze anos sem pregar, trabalhando em Tarsis, aprofundando sua experiência de Deus. Ele começa a pregar no ano 50, portanto, essa carta é escrita por volta do ano 52. O texto, tão próximo a Jesus, vai nos trazer pistas muito práticas de como viver nossa fé.

Nessa carta aos Tessalonicenses, São Paulo diz que Deus nos criou para sermos felizes. Essa felicidade plena é revelada e chega até nós na pessoa de Jesus Cristo, na força do Espírito Santo. Para que isso aconteça, porém, precisamos tomar algumas atitudes fundamentais na vida, e isso não é mágica. Nos versículos seguintes, que são a conclusão da carta, Paulo vai falar da cura total do ser humano. A graça de Deus precisa atingir o ser humano em sua totalidade: no corpo, na alma e no espírito, no coração. Portanto, a cura completa, a cura interior, é uma luta contínua, que deve partir de atitudes fundamentais do ser humano. São Paulo está falando que ser cristão é entrar na dinâmica do ser humano, e que a dinâmica do ser humano exige atitudes completas.

O mundo está buscando uma espiritualidade mágica, uma espiritualidade *light,* uma religião que resolva tudo. São Paulo nos traz uma Palavra que deve ser uma linha de conduta. A partir do versículo 16 do capítulo 5, ele começa a falar resumidamente de como viver essa felicidade: Vivei sempre contentes. Orai sem cessar. Em todas as circunstâncias dai graças, porque é a vosso respeito a vontade de Deus em Jesus Cristo. Não extingais o Espírito. Não desprezeis as profecias.

Sabe por que na grande maioria das vezes somos infelizes? Porque fazemos o contrário. A pessoa que não consegue experimentar a cura interior sempre vai cumprir essa ordem ao contrário. Você já observou com que facilidade conservamos no coração aquilo que é mau? Como freqüentemente olhamos com lente de aumento as coisas erradas e negativas? As coisas boas, vamos esquecendo. Por isso, não somos felizes.

Olhe para você mesmo. Você já aprendeu a conservar aquilo que é bom em você? Tente escrever algumas páginas de algumas coisas boas em sua vida e coisas boas que você tem. Alguns vão encontrar dificuldade, porque parece mais fácil conservar o que é mau, o que é negativo. Por isso, somos infelizes. Como viver sempre contente? Conservando o que é bom e se apartando do mal. E apartar é separar. Será que eu separo o mal de minha vida? Ou parece que tenho um arquivo onde registro tudo aquilo que é negativo?

A Bíblia de Jerusalém começa o versículo 21 dizendo: "Discerni tudo..." O que é discernir? É o dom do discernimento que o Espírito Santo nos dá, é a capacidade de partir ao meio, é saber tomar o lado bom e o lado ruim. Lembre-se do discernimento feito por meio de uma palavra de sabedoria de Salomão. Quando duas mulheres brigavam por uma criança, ele mandou partir a criança ao meio. Aquela que não aceitou a terrível decisão era a verdadeira mãe.

Então o que é discernir? Discernir é partir, é examinar, estudar, olhar as coisas por outro lado. Isso é o difícil da vida, porque sempre achamos certo o nosso lado.

Discernir é não julgar pelas aparências. Todo ponto de vista é a vista a partir de um ponto. Discernir é olhar de todos os ângulos possíveis, com todas as possibilidades. Por que brigamos? Porque aprendemos a conservar no coração aquilo que é ruim, e nisso existe um grande especialista, o pai de toda essa escola, o encardido. Aquele que é de Deus dá fruto de Deus. Conhecemos uma árvore pelos frutos e não pela casca. E o grande fruto de Deus é aprender a guardar no coração as coisas boas. Esse é o primeiro ponto. E o segundo é afastar-se do mal.

Veja a pedagogia de São Paulo. Alguns salmos usam essa jogada de palavras: apartai-vos do mal, apegai-vos ao bem. Nesse texto, ele faz o contrário. Se você quer ser feliz em Deus, a primeira coisa a fazer é guardar dentro do coração as coisas boas. Primeiro o bom, depois afastar-se do mal. Queremos primeiro afastar-nos do mal. Nós queremos consertar uma pessoa combatendo seus defeitos. A pessoa quer se converter combatendo seus defeitos. Coitada, vai combater defeitos a vida inteira! Se quisermos ser felizes em Deus, a primeira coisa a fazer é encher-nos do bem, conservar no coração e na vida as coisas boas. Qual é o segredo da felicidade de Maria? Segundo o evangelho, Maria conservava a Palavra em seu coração; guardava todas as coisas em seu coração.

Conservar tem dois aspectos. O primeiro deles é fazer conserva. Na região sul, por exemplo, é muito comum, na época de colheita, na qual as coisas são baratas, colocá-las na conserva. O segundo aspecto de conservar é guardar com cuidado, com sabedoria. Conservar significa que o que estava estragado já fora descartado antes. Imagine se você colocasse em sua cozinha um caixote onde seriam depositados todos os restos de comida estragados. O que aconteceria? Primeiro iria apodrecer, depois cheirar mal, depois apareceriam moscas, ratos e baratas, e, por último, o caixote apodreceria. E por que fazemos assim com as coisas da vida? O coração de algumas pessoas é um caixote desses, cheio de coisas que não prestam. Tem gente que tem o dom de guardar coisa ruim no coração. Se quero ser feliz, preciso conservar o que é bom, em primeiro lugar com relação a mim mesmo. O que eu tenho de bom? Minhas qualidades, as coisas boas que já fiz, as coisas boas que sinto.

O encardido não quer que nos convençamos de nossas qualidades. Ele fica feliz quando achamos que não valemos nada, porque ficamos parecidos com ele. Qual é a grande característica de Deus na Bíblia? Deus sempre vê o lado bom. Primeiro capítulo da Bíblia, sete vezes: "e Deus viu que tudo era bom..." E nós vemos que tudo é ruim. As pessoas ganham o dom de reclamar, a oração de lamúria, o louvor ao encardido.

"Padre, sofro desde pequena, ninguém gosta de mim. O que eu faço?" "Morra!" Mas ela não quer morrer. É uma carência profunda, porque não conservou as coisas boas. Quem conserva as coisas boas no coração, mesmo se um dia se perder, vai conseguir voltar para Deus.

Você já parou para pensar o que fez o filho pródigo voltar para o pai? A desgraça? Não, foram as coisas boas. Ele foi embora e tinha os três "P" que o mundo procura: posses, poder e prazer. Veio uma miséria sobre a cidade, e ele teve de cuidar de porcos. Nessa hora ele se lembrou de que na casa de seu pai até os empregados tinham comida em abundância, e ele estava passando fome. Resolveu voltar.

Percebem a importância de conservar aquilo que é bom? E como devemos conservar as coisas que vêm de Deus? Os nossos olhos estão sendo educados para enxergar o quê? Aquilo que é ruim.

Qual foi o elogio que o chefe dos serventes fez ao noivo, quando, a pedido de Maria, Jesus transformou a água em vinho? "Muito bem! É costume servir primeiro o vinho bom e, depois que os convidados já estiverem embriagados, servir o vinho ruim. Você conservou o vinho bom até agora." Por que ele recebeu esse elogio? Porque convidou para a vida dele duas pessoas importantíssimas, especialistas em conservar coisas boas: Maria e Jesus. Esse é o segredo.

O amor humano, se não tiver Jesus e Maria, começa bom e depois vira uma tristeza, pois não consegue conservar as coisas boas. Não aprendemos a conservar aquilo que é bom em nós, nos outros, em Deus, no mundo. Conservar significa cuidar. Por que o ser humano destrói a natureza? Porque não aprendeu a contemplá-la com os olhos de Deus. E Deus viu que tudo era bom.

Sabe por que nós não conservamos as coisas boas? Porque a graça de Deus tem quatro marcas principais, e o mundo não ensina a nos adaptarmos a essas quatro marcas. A primeira marca de Deus a ser conservada é o exagero, o amor de Deus é exagerado. São Paulo vai nos dizer em Romanos 5, 5: "A esperança não decepciona, porque o amor de Deus foi derramado. Digo-vos essas coisas para que a minha alegria esteja em vós e vossa alegria seja completa." É exagero? Tente contar as estrelas do céu, as plantas. Quantos milagres já aconteceram na sua vida hoje? Talvez você dirá que nenhum. Mas você já agradeceu a Deus por acordar, estar vivo, andar? Parece que Deus não faz mais do que a sua obrigação. Você é um milagre ambulante. Você sabe qual é o instrumento mais perfeito que existe no universo? A mão humana, capaz de trinta e quatro movimentos e sensações diferentes e específicas, que nenhum computador até hoje consegue reproduzir. A sua unha é mais importante do que qualquer máquina já inventada, pois ela cresce sozinha, ela cresce até depois que você morre.

A segunda marca do amor de Deus é o silêncio, e talvez por isso a gente não dê tanto valor. Uma flor, quando se abre, não faz barulho. O sol, quando se põe, não faz barulho. Deus faz tudo no silêncio. Um bilhão de árvores crescendo não faz barulho, mas uma árvore caindo faz um barulho medonho.

Por que comemos mais ovo de galinha do que de pata? Porque a galinha faz mais barulho, anunciando para todos que já tem ovos fresquinhos.

A carpa é um peixe que põe milhões de ovos. Um dia a carpa escutou um barulhão, colocou a cabeça para fora d'água e viu que era a galinha. Perguntou:

– O que aconteceu?

– Não soube? Eu pus um ovo.

– Meu Deus! Se eu fizesse um barulho desses para cada ovo que eu pusesse...

E o mundo está cheio de "cristãos galinhas", que fazem uma barulheira porque perderam a dimensão do silêncio.

A terceira marca do amor de Deus é ser de graça. Você não paga nada, não tem mérito nenhum. O amor de Deus é gratuito, infinitamente de graça. A vida é graça, é dom, é presente, é oferecido. Deus não obriga.

Tem gente que faz grandes festas no dia do aniversário, por exemplo. Em meu aniversário, pouca gente me acha, porque eu fujo, é dia só meu, que Deus fez para a gente. O que eu fiz para estar vivo? Se devo dar parabéns, é para Ele. Acontece que aprendemos na vida que só tem valor o que é caro. Por que o mundo não valoriza a Eucaristia? Porque é de graça. Jesus se dá de graça, em silêncio.

A quarta marca desse amor de Deus é manifestar-se por meio de pequenos detalhes. Enquanto vivermos na generalização, não experimentarmos o amor de Deus e não aprendermos a conservar as coisas boas, não seremos felizes.

Lembra-se do Pequeno Príncipe? Ele tinha uma rosa que era única para ele. E ele cuidava muito dela, colocava uma redoma de vidro em cima, colocava água. Quando o Pequeno Príncipe sai pelo mundo, chega a um jardim que tinha cinco mil rosas, e fica decepcionado. "Se minha rosa descobre isso... ela pensa que é única!" Ele anda mais um pouco, encontra uma raposa e diz:

– Brinca comigo?

– Não posso.

– Por que não pode?

– Porque você não passa de um menino para mim. E eu não sou para você mais do que uma raposa.

– Então o que eu faço para você brincar comigo?

– Cative-me.

– E o que é cativar?

– Guarde-me em seu coração. Cativar é criar laços. Se você me cativa, minha vida será como que ensolarada, eu serei para você única no mundo. Você será para mim único no mundo. E é bom que você venha sempre na mesma hora. Pois se vier às quatro horas, desde as três eu começo a ser feliz. Mas a gente sempre corre o risco de chorar quando se deixa cativar.

– Eu acho que sei o que é cativar. Eu tenho uma rosa, e ela é única no mundo.

Sabe o que significa compreender e guardar o bem? Guardar esse amor infinito de Deus, que é exagerado, silencioso, de graça? É descobrir que esse universo inteiro foi feito para você. Se você fosse a única pessoa no mundo, Deus não amaria mais você do que ele já ama. Porque você para Deus é único no mundo. O dia em que Jesus for para você único no mundo, você já aprendeu esse segredo.

Reze comigo

Senhor, eu quero guardar as coisas boas em meu coração, só as coisas boas, quero abraçar o bem. Eu quero me apartar do mal. Por isso, quero mais uma vez experimentar esse amor que é exagerado, que é silencioso, que é gratuito. E eu quero experimentá-lo nos detalhes de minha vida.

Não olhes para trás

O texto de Gênesis, capítulo 19, versículo 17, citado no primeiro capítulo, trata da destruição de Sodoma e Gomorra, das armas que o encardido usa para destruir o ser humano. Ele não quer formar esse povo novo, mas enfraquecê-lo. Ele tem muitas armas, mas nós temos uma poderosa contra ele, mais forte que as dele, e é essa arma que queremos usar agora.

No mundo em que vivemos, muitas coisas são parecidas com Sodoma e Gomorra. Se lermos os versículos anteriores a Gênesis 17, veremos que o povo não acreditava naqueles sinais tão evidentes de destruição, ou pior, de autodestruição. Lot, porém, acreditou, e o anjo puxou-o pela mão para fora da cidade. Às vezes Deus faz isso conosco também: dá-nos um puxão, por um acontecimento ou uma dificuldade da vida, e nos dá uma ordem.

Esta é a ordem de Deus para nós hoje: Salva-te, se queres conservar tua vida. A primeira e grande ordem de Deus. Conservar sua vida em Deus, salvar-se de tudo isso, de todas as armadilhas de destruição. Para que aconteça a salvação, Deus dá a Lot e a nós três ordens.

Primeira ordem: Não olhes para trás. Segunda ordem: Não te detenhas em parte alguma da planície. Terceira e mais importante ordem: Foge para a montanha, senão perecerás.

Nós estamos perecendo. O mundo está mergulhado como Sodoma e Gomorra nos pecados que o encardido oferece, como se fosse algo bonito, bom e agradável. Se observarmos os inúmeros acidentes fatais nas estradas, por exemplo, veremos que na maioria das vezes são conseqüência do álcool e da alta velocidade.

O mundo está perecendo. Essa é a primeira constatação a que precisamos chegar, e se estamos mergulhados nesse mundo, estamos perecendo junto. A família e a juventude estão perecendo nas drogas, no álcool, no fumo, na prostituição. Deus não quer que nós pereçamos.

Talvez seja a hora de gritar como os discípulos e São Pedro: "Salva-nos, Senhor, nós estamos perecendo." Jesus estende a mão, mas esse estender a mão de Jesus hoje é algo dinâmico. Aliás, esta é uma constante na Bíblia inteira: acolher o "novo" de Deus; acolher a novidade que vem de Deus.

É impressionante que Deus só pôde realizar seu plano na vida das pessoas que tiveram a coragem de acreditar no novo de Deus. Abraão, no capítulo doze de Gênesis, é um velhinho que esperava a morte em Ur da Caldéia, um homem que já estava com noventa anos de idade. Sabemos que os velhos gostam do lugar deles. Aliás, nós vamos descobrindo que estamos ficando velhos quando começamos a nos acostumar: sentamos no mesmo lugar da sala, temos um lugar fixo à mesa, não conseguimos dormir fora do colchão, para viajar tem que levar o travesseiro, vamos nos acomodando, enfim, isso é ser velho. Além de ser velho, ainda fica pensando: "no meu tempo é que era bom."

Abraão era velhinho, e Deus lhe disse: "Sai da tua terra e vai para onde eu te mostrarei." Ele acreditou e saiu. Quando Deus viu que ele acreditou, disse: "Você vai ser pai." Sara começou a rir e disse: "Eu já estou com noventa anos, quarenta e seis anos na menopausa."

Lot acreditou no novo. No começo ele também resistia, mas queria salvar sua vida. Então foi à casa de todos os seus genros, e todos estavam fazendo festa, pois não se preocupavam com o fim e só queriam saber de festejar. Lot via que esse caminho conduziria Sodoma e Gomorra à destruição, e todos estavam acomodados. Lot não era muito novo, já tinha netos.

Deus fez esta primeira e grande pergunta para Lot, e creio que também faça a cada um de nós: Você quer, de fato, salvar sua vida? Então, olhe para esse Salvador que nos dá três ordens lindas de cura interior, de restauração, de transformação e de mudança de vida.

A primeira e grande ordem de Deus: Não olhe para trás. Nós somos muito apaixonados pelo passado, tanto pelo passado bom quanto pelo passado ruim.

O que o encardido mais sabe e gosta de ver é o ser humano ficar preso ao passado. Por isso, as pessoas que se deixam conduzir por ele vivem olhando para trás, sempre com saudade do que já foi, e – o pior – não conseguem esquecer o passado. Têm uma memória impressionante, tem aquele dom de ficar remoendo o passado. Gostam de tratar o passado com carinho, e chegam a ensaiar discurso para falar a uma pessoa que as magoou. A esposa questiona quando o marido chega atrasado em casa. Ela pergunta o porquê do atraso, mas não o escuta, pois já fica pensando no que dizer em seguida, e marca tudo no calendário.

O que aconteceu com a mulher de Lot por ter olhado para trás? Virou uma estátua de sal. Estátua é coisa parada, que não tem vida. Conheço muitas pessoas estátuas, por exemplo, aqueles maridos que chegam à noite, sentam-se em frente à televisão e nem se mexem; um jovem *chapado* é um jovem estátua; a mulher que toma aqueles calmantes e remédios fortes é uma mulher estátua. A pessoa se torna estátua de sal: é azeda, tem o dom de guardar tudo o que é ruim, de sua vida e da vida dos outros, e vive amargurada.

Não olhe para trás. Por que você não é feliz? Porque está preso ao passado, fica remoendo aquela amargura. Estátua de sal tem que dar para as vacas lamberem, pois quem gosta de lamber sal é vaca. Não olhe para trás.

Tem gente que engatou uma ré na vida. Você sabe guiar automóvel? Quando usamos a ré? Quando é preciso fazer uma manobra em que é absolutamente impossível ir para frente. Quando estamos em um lugar muito estreito, temos duas regras para usar a ré. Primeira: com muita atenção, e é por isso que existem os espelhos retrovisores. Segunda: devagar. Há pessoas que engataram a ré na vida. Hoje há uma ordem para você: não olhe para trás.

São Jerônimo, o homem que traduziu a Bíblia, viveu vinte e sete anos na gruta de Santa Catarina, embaixo da gruta de Belém onde Jesus nasceu. Jerônimo era um homem rico, bonito, deixou tudo por Deus. Um homem muito inteligente, de uma cultura fabulosa. Todos os dias, Jerônimo rezava, porque queria ser feliz, mas não conseguia, não tinha paz interior. Perguntou, então, para Deus: "Deus, por que eu ainda não consigo ser feliz, ser esse homem livre que quero ser?" Deus disse: "Jerônimo, você precisa me entregar a coisa que você mais ama." Jerônimo ficava pensando: "Minhas roupas eu não amo mais, eu uso este hábito simples, minha inteligência eu também não amo mais, tanto que eu não leio mais nenhum livro, só livros que me ajudem em minha missão de evangelizar. Eu já entreguei meu corpo, procuro viver no jejum, consagrei-me inteiro na sexualidade, na castidade. O que eu preciso entregar para Deus?". Vinte e sete anos depois ele descobriu, quando o Espírito Santo falou ao coração dele: "Jerônimo, entrega-me os teus pecados."

Você já observou como é absurdo o que o encardido faz conosco? Ele é tão terrível que nos faz amar o pecado como a coisa mais importante do mundo. Tanto que você protege mais o pecado do que sua vida. Há pessoas que guardam seus pecados por anos, que têm um cofre no coração e que arrumam serviço de segurança e monitores para ficarem vigiando, fazendo de tudo para que o pecado não fuja. Pessoas com quarenta, sessenta anos de idade e que ainda estão guardando pecado da infância, que muitas vezes nem pecado era, mas acabou se tornando pecado, pois se tornou um vício.

Amamos nossos pecados, amamos o vício. Como os dois compadres que combinaram uma pescaria. Decidiram não beber, por causa da reclamação de suas esposas. Quando se encontraram de manhã, um estava com dois pacotes. O outro falou:

– O que você traz aí?

– Cachaça.

– Mas combinamos que não beberíamos.

– Mas não é para beber mesmo. Se aparecer uma cobra e nos morder, já temos a cachaça para desinfetar.

– E o outro pacote?

– Estou levando uma cobra, vai que não aparece nenhuma...

Fazemos assim com o pecado: "Quero parar de fumar, mas compro o cigarro." Tentar diminuir é pior, porque sabemos qual mato é ruim: quanto mais você corta, mais forte ele vem. Será que não amamos demais o pecado? Não olhe para trás. Quer salvar sua vida? Não olhe para trás.

O encardido é especialista em registrar nossos pecados. Como um sistema de laptop de última geração, ligado à telefonia celular, chamada de *infernet*. Tudo o que você faz de errado ele registra na hora, assim como os erros das pessoas que convivem com você: ele registra e lhe manda uma cópia. Muitas pessoas são funcionárias do encardido, vivem mandando e-mail com as cópias dos erros dos outros.

Você quer começar um tempo novo? Pensa que é só mudar o calendário? Você precisa se tornar uma pessoa nova. Como o caso da mulher que foi comprar um vestido e falou: "Quero comprar um vestido preto que me deixe linda e sensual." A vendedora respondeu: "O vestido preto nós temos, o resto é com a senhora."

Não adianta só dizer adeus ano velho e feliz ano novo e levantar com a cara amarrotada, azeda, estátua de sal, desanimada e reclamando. Levanta e a primeira coisa que faz é abrir a página do diário e ficar relembrando tudo de ruim que aconteceu. Nós atualizamos todos os dias nosso coração com o passado e o pecado. Não olhe para trás. Essa ordem é difícil, mas sem ela não vamos conseguir realizar as outras duas.

Para que tenhamos certeza absoluta de que é possível viver o novo de Deus, Jesus se fez gente em nosso meio. Que maravilha a leitura tirada do Profeta Isaías: "aqueles que andavam nas trevas viram uma grande luz; sobre aqueles que habitavam uma região tenebrosa resplandeceu a luz" (Is 9,1). Todos nós já andamos nas trevas, pelo pecado que fizemos, ou um erro. Porém, aqueles que habitam as trevas são os que vivem no escuro do pecado. Perceba que o lugar do pecado é escuro: aquela rua escura onde se vende droga, onde as pessoas se prostituem.

Jesus veio inaugurar uma era nova, não essa era de que o povo tanto fala. A única era que começa é Jesus: aquele que era e que sempre será. Em João, capítulo um, versículo quatorze: "O verbo de Deus se fez carne e habitou entre nós."

Jesus é o contrário de tudo o que é religião, leia-se as outras religiões, e eu posso falar isso de cadeira, pois sou professor de cultura religiosa. Em todas as religiões, vemos as pessoas, o devoto, o fiel lutando para Deus ouvir sua oração. Ele tenta chamar a atenção de Deus de todas as formas, para ver se Deus olha para ele. O cristianismo é a religião do absurdo. Em vez de o ser humano ficar chamando Deus, é Deus que vem e entra em nossa história e a assume. Não assume o pecado, mas a conseqüência do pecado. Enquanto todas as outras religiões querem elevar o homem a Deus, no cristianismo é Deus que se faz do tamanho do homem.

São Paulo diz aos Filipenses: "ele não se apegou a sua condição divina, mas tornou-se escravo, servo obediente até a morte de cruz". O maior milagre de todas as histórias é o versículo quatorze do capítulo um de São João. O verbo de Deus se fez gente, gente de carne, gente fraca e que fica doente, que tem problemas, dificuldades.

Jesus não veio fazer uma visita de helicóptero nem de extraterrestre, que não existe. Pessoas dizem que vêem duende. Sempre digo: quem tem o olho doente, só pode ver duende! Pessoas dizem que vêem ET, mas não vêem o vizinho, o pai, a mãe, o irmão. Moram na mesma casa, mas não se vêem, então ficam procurando duendes, ETs.

Jesus não é um ET que desce do disco voador e diz: "Eu sou Jesus e vou salvar vocês." O verbo de Deus se fez carne e habitou. *Habitou* vem de *hábito* de vestir roupa, de vício. Por isso São Pedro diz: Sobre si ele carregou nossas enfermidades. Para que o ser humano acreditasse nesse novo, Jesus é a boa-nova, e que boa-nova é essa que de fato nos faz não olhar para trás? A boa-nova é que Deus é Pai, que nos ama desesperadamente, a ponto de se entrar em nossa história e nela permanecer por toda a eternidade.

O ser humano é a obra-prima de Deus, que não nasceu para ser estátua de sal, para viver parado. O ser humano tem vida.

Jesus não falou isso apenas em um belo discurso, ele falou com a vida. Por isso, as mais belas passagens da Bíblia, as mais emocionantes são os encontros de Jesus com os grandes pecadores. Por que esses encontros de Jesus foram tão revolucionários? Porque essas pessoas já estavam tão mergulhadas no pecado que não tinham mais onde se segurar.

Enquanto temos nossas seguranças humanas, não nos entregamos inteiramente ao Senhor. Enquanto vivermos com as preocupações nas coisas, não daremos esse passo ainda. No entanto, os grandes pecadores não tinham mais nada a perder. O que Zaqueu tinha a perder? Nada. Ele já tinha descoberto que mesmo rico, importante, ladrão, não era feliz. O que a mulher prostituída, pega em flagrante adultério, tinha a perder? O que aquela samaritana linda e maravilhosa, que arrumara seis maridos, tinha a perder? Nada, tanto que ela largou o balde com o qual foi buscar água. Todos esses grandes pecadores se encontraram com Jesus, e, a partir desse encontro, tiveram a vida completamente mudada.

Pergunto para você e para mim: será que nos encontramos realmente com Jesus no Natal? Todos aqueles que se encontraram verdadeiramente com o Senhor começaram uma vida nova sem nenhuma exceção. Primeiro os magos, que foram ver o menino, segundo o Evangelho, e partiram por outro caminho. Lá chegaram para entregar ouro, incenso e mirra, mas, se entregassem somente isso, não adiantaria nada.

Talvez no Natal você também tenha dado presentes, mas voltou por outro caminho? Se não voltou, você não celebrou o Natal ainda.

Dimas, o ladrão que estava preso na cruz, começou o novo caminho quando falou para Jesus: "Lembra-te de mim quando estiver no teu reino." Jesus disse: "Hoje você estará comigo no paraíso." É hoje, não ontem e nem amanhã. Esse é o dia em que o Senhor nos fez, dia de alegria e de Júbilo. É *Kairós,* é agora.

Todos aqueles que se encontraram com Jesus voltaram para suas casas curados, restaurados, transformados. Se isso não aconteceu conosco ainda, é porque ainda não tivemos esse encontro com o Senhor, e estamos olhando para trás. Quem olha para trás vai virar estátua de sal. Lot levou tão a sério a ordem de Deus que nem olhou para trás quando sua mulher caiu e virou uma estátua de sal.

Não olhe para trás. Por isso Jesus jamais fez sequer uma pergunta para qualquer pessoa sobre seu passado. Isso me impressiona, e cada vez fico mais apaixonado por Jesus. Será que foi somente por esquecimento que ele não perguntou para aquela prostituta o que tinha acontecido com ela? Se ela tivera algum problema na infância, na adolescência, se algum namorado a abandonara? Perguntou? "Vá e não peque mais", "Zaqueu, hoje a salvação entrou em sua casa." Em Lucas, capítulo oito, versículo três, a mulher hemorroíssa. Essa linda passagem conta que a mulher tinha uma doença física incurável, uma doença afetiva terrível. Ninguém podia chegar perto dela, era uma doença espiritual pavorosa. Eu não sei se no Evangelho ou na história humana apareceu alguém em situação pior do que a daquela mulher. Principalmente por ser mulher, e sabemos o quanto o povo judeu vivia o machismo naquela sociedade.

Marginalizada, aquela mulher tinha uma hemorragia, uma menstruação contínua, quase uma leucemia. Ela eliminava sangue e perdia suas forças. Doze anos, doze tribos de Israel, doze apóstolos, doze meses do ano. Doze é o completo, o número daqueles que serão eleitos no reino, doze vezes doze, os cento e quarenta e quatro mil. Aquela mulher sofria de uma doença horrível há doze anos.

Segundo Lucas, ela gastara todos os seus bens com os médicos, já cumprindo a grande profecia de Eclesiástico, capítulo trinta e oito. Se você pecar, vai acabar caindo na mão do médico. Ela não possuía mais esperança nenhuma. Uma pessoa que perdeu sangue todos os dias durante doze anos. Economicamente, não tinha mais nada. Miserável física e afetivamente. Naquela época, quando a mulher ficava menstruada, não se podia chegar perto dela, tudo o que ela tocasse se tornava impuro, inclusive o marido, os filhos. Ela não podia fazer comida, se fosse solteira não podia mais namorar, não podia cumprimentar um irmão, não podia ir a um velório, não podia ir a lugar nenhum. Era pior que uma leprosa, pois quando saía na rua todo mundo se desviava de sua direção e lhe abria o caminho, por esse motivo também foi que ela conseguiu chegar até Jesus.

Afetivamente destruída, ninguém chegava perto dessa mulher, que ainda cheirava mal – imagine que na época de Jesus não havia esses recursos de higiene que existem hoje. Uma mulher que cheirava mal em seu pecado, que vivia na mágoa. No dia de seu aniversário, não recebia um abraço de ninguém. Imagine que ela ficava pensando o porquê de ninguém ir lhe dar um abraço. Como mãe não podia nem mesmo chegar perto do filho; seu filho chorava e ela não podia trocá-lo porque não podia tocar na criança. Ela estava espiritualmente no fundo do poço.

Aquela doença era um castigo de Deus. A mulher deve ter cometido um pecado grave demais, imagine o que os vizinhos não falavam dela: "Deve ser bruxa, já viu o jeito como ela olha para gente? Ela não tem cor normal, tem aqueles olhos fundos. Ela olha pra nós de um jeito que penetra. Eu fiquei sabendo que uma vez a vizinha dela passou perto com um neném, ela olhou para a criança e deu mau olhado no pobrezinho; ele ficou com arca caída. Ela chega a matar galinha só de olhar na franga. Planta também, minha cunhada tinha uma flor na janela e, no dia em que ela passou, a flor murchou."

Já pensou como a criançada insultava aquela mulher? Quantos apelidos essa coitada recebeu? Coloque-se no lugar dela. Pessoas reclamam da vida e acham que têm problemas, mas imagine-se no lugar dessa mulher que estava financeiramente zero, fisicamente zero, afetivamente zero, sexualmente zero, familiarmente zero, comunitariamente zero, espiritualmente zero.

Lá estava de longe a multidão em um profundo silêncio, e ela conseguia escutar aquele homem que falava de um jeito muito diferente. "É ele que multiplicou os pães, que tocou no filho da viúva de Naim. É ele, eu ouvi falar que lá em Jericó ele fez dois cegos enxergarem." Mas ela não podia chegar perto dele, estava proibida pelo sacerdote. Os leprosos tinham de se apresentar ao sacerdote quando estavam curados, era o sacerdote que dizia se podiam ou não voltar para a comunidade. E ela não estava limpa. Como ela chegaria lá na frente? Aquela mulher fez um estudo estratégico. "Por onde eu vou chegar? Eu vou chegar escondida." Olhe só que fé linda e maravilhosa. Foi indo aos poucos, e todos abriram caminho, porque ninguém queria chegar perto dela. Foi e tocou só na orla do manto, não tocou na mão de Jesus porque não queria fazê-lo impuro, tocou só na parte de trás do manto porque não tinha coragem de olhar para Ele. Ela vivia presa, escondida, estava sempre por trás das pessoas, não tinha mais coragem de olhar ninguém de frente.

É isso que o pecado faz conosco. Quando a criança faz algo de errado e lhe dizemos: "olha pra mim", ela abaixa a cabeça. Não é assim? Quem de nós já esteve nessa situação? Mas a mulher pôs a mão na orla do manto de Jesus, e Ele olhou para ela. A cena é fabulosa, uma daquelas que nós lemos e damos risada meia hora. Jesus pára o sermão e profeticamente diz: "Alguém me tocou." São Pedro começou a rir, chegou ao seu lado e começou a dizer: "Faça o favor, o Senhor está tendo uma crise de estrelismo? O Senhor não está vendo essa multidão que o aperta, se acotovela, o povo está nos pisoteando e o Senhor pergunta quem o tocou?" Jesus olhou para Pedro, pensou, mas não falou: "Pedro querido, estimado, eu não estou perguntando quem foi que esbarrou em mim, disso estou cansado. Pedrão, gente esbarrando em mim tem para todos os lados. Estou perguntando quem me tocou." A mulher levantou o dedo, mas Ele já sabia quando ela estava vindo, porque Ele tinha capacidade de enxergar além e também pela reação das pessoas que estavam à sua frente.

Jesus era especialista no olhar. Ele olhou para o jovem rico e o amou; quando olhou para Pedro já sabia tudo. Quando ele olhou para aquelas pessoas que estavam na sua frente, percebeu-as nervosas e brancas. "Fui eu, Senhor." Jesus olhou para a mulher e não ficou impuro. Ela sim deixou de ser impura, ficando completamente curada, restaurada. Por que ela precisou perder todo seu sangue? Para que, a partir daquele dia, um sangue novo começasse a circular em suas veias.

A vida está no sangue. Os doze anos significam o tempo que a mulher levou para deixar o passado, o pecado. Talvez ela tivesse tido uma vida irregular, talvez tivesse se contaminado com uma doença sexualmente transmissível, ou talvez sofresse de alguma terrível doença como Aids ou leucemia, que assustam o nosso mundo atual. Ela não foi mais buscar soluções humanas, porque ela já tinha tentado de tudo. Ela não foi fazer um transplante para aquela leucemia, pedir para a mãe dela arrumar um homem para ter filho com ela para fazer um transplante da medula dela. Foi preciso escorrer todo o sangue velho, como com a galinha que quando cortamos o pescoço lhe escorre todo o sangue.

Aquela mulher levou doze anos. Você já levou quanto? Quantos de nós estamos há doze, quinze, vinte, trinta anos na hemorragia do ódio, do pecado, da mentira, das drogas, da prostituição, da violência, do pessimismo, das máscaras de um farisaísmo, e nos contentamos em tocar, sermos tocados e aplaudidos pelo mundo.

É preciso escorrer esse sangue contaminado. É preciso abrir-se por inteiro. É como partir o frango. Para prepará-lo, há dois processos. Primeiro, é preciso arrancar as penas, o que está do lado de fora. Isso é o mais fácil, e representa nossos vícios, as aparências. Depois, é preciso partir o frango e remover as entranhas, colocar para fora o que está escuro lá dentro. Aquela mulher tirou as penas e as entranhas durante os doze anos. Ela foi perdendo tudo, mas graças a Deus não gastou a esperança que a fez caminhar na direção certa uma única vez na vida. Hoje pode ser esse dia em sua vida, em minha vida.

Quantas pessoas começam o ano na praia dando os sete pulinhos nas sete ondas? Nós queremos pular com os sete dons do Espírito Santo e pular para valer. Quantos entram no mar, põem o barquinho e saem de ré? Nós vamos entrar em um barco único, o barco que Jesus mesmo comandou, em que ele navegou, e não olhou para trás. É preciso olhar para o alvo, para a meta, para onde ele nos aponta, e acolher o novo de Deus.

Reze comigo

Senhor, hoje eu quero ser como essa mulher hemorroíssa. O Senhor me conhece, o Senhor sabe minhas fraquezas, minhas limitações, meus pecados. Eu estou pior que esta mulher, eu já estou há tantos anos na hemorragia do pecado, do ódio, da mentira. O Senhor conhece isso que tira a minha força, Senhor, esse vício que não consegui vencer ainda, essa impureza que eu não consegui vencer ainda. Eu quero ser como essa hemorroíssa, mas não tocar só na orla do seu manto, tocá-lo inteiro na eucaristia, e quero, de fato, começar essa vida nova, por isso eu suplico, Senhor, derrama sobre mim, sobre meus irmãos teu Espírito Santo de amor, Senhor.

Hoje eu olho para minha vida e grito como Pedro e os apóstolos: "Salva-me, Senhor, eu estou perecendo, nós estamos perecendo." Nós estamos sendo enganados pelo inimigo que nos oferece o pecado, a mentira com o gosto saboroso da falsa liberdade. Eu estou há tanto tempo usando essa máscara, o Senhor sabe que lá dentro de mim estou cultivando e passando de um ano para o outro os meus pecados, meus egoísmos. Há quantos anos cultivo essa mágoa em meu coração? Essa doença? Mas hoje eu quero tomar posse dessa palavra, e não quero mais olhar para trás, eu não quero mais voltar para trás, eu não quero voltar a ser o que eu era, Senhor. Eu quero, eu preciso ser tocado, o Senhor sabe o quanto eu já perdi, já perdi minha dignidade, amigos, pessoas, saúde, eu estou preso aos meus pecados, cultivando esses pecados. Eu quero ser um vaso novo, Senhor, o presente novo do teu amor, a novidade absoluta, um homem novo, uma mulher nova, restaurado, curado, recriado segundo teu amor. Eu não quero mais olhar para trás, te entrego meu passado, tudo que eu sou, tudo que eu tenho. Lava, purifica, restaura minha vida, eu te entrego meu coração em uma canção nova para ti e para Deus, eu não quero mais a canção velha do pecado, eu quero entregar-me inteiro nessa nova canção de Deus.

Ao aproximar-se Jesus de Jericó, estava um cego sentado à beira do caminho, pedindo esmolas. Ouvindo o ruído da multidão que passava, perguntou o que havia. Responderam-lhe: "É Jesus de Nazaré, que passa." Ele então exclamou: "Jesus, filho de Davi, tem piedade de mim!" Os que vinham à frente repreendiam-no rudemente para que se calasse. Mas ele gritava ainda mais forte: "Filho de Davi, tem piedade de mim!" Jesus parou e mandou que trouxessem o homem até ele. Chegando perto, perguntou-lhe: "Que queres que eu faça?" Respondeu ele: "Senhor, que eu veja." Jesus lhe disse: "Vê! Tua fé te salvou." E imediatamente ficou vendo e seguia a Jesus, glorificando a Deus. Presenciando isso tudo, o povo deu glória a Deus (Lc 18,35-43).

Milagre, uma resposta de Deus

Nós precisamos ter a graça de fazer a experiência que fez esse cego de Jericó. Cidade mais antiga da Terra, Jericó existe até hoje. Situada entre Jerusalém, a Judéia e a Galiléia, é aquele lugar perigoso onde machucaram aquele homem socorrido pelo bom samaritano. Esse episódio precede o grande encontro de Jesus com Zaqueu, que também era de Jericó.

Olhando para o episódio da cura do cego de Jericó, vejo um programa de vida para todos nós, que nos propõe um dinamismo progressivo de nossa experiência com Deus. Do entusiasmo inicial, é preciso chegar à experiência da fé que vem pela provação. A fé é dinâmica, é dar passos concretos.

Nesse texto, nós temos três momentos: O cego ouve falar em Jesus, começa a escutar um burburinho e lhe vem a curiosidade: "Que barulho é esse?". Esse é o primeiro estágio, o estágio da curiosidade. O estágio do "oba-oba", das pessoas que gostam de ir só pelo aspecto da festa, daqueles que ficam na superfície, daqueles que não deixam o fogo purificar e querem que a poeira dos problemas baixe e fique no fundo do coração.

A curiosidade leva a pessoa a bobagens, ainda não é a adesão ao Senhor, mas é o primeiro passo. Não podemos permanecer nela se quisermos experimentar o que o cego experimentou. Quando ficou sabendo que se tratava de Jesus, ele teve um primeiro impulso de ir ao encontro do Senhor, precisava tocá-lo, por isso grita e exclama: "Jesus de Nazaré, tende piedade de mim!". Porque ele ouvira comentários sobre Jesus. O Mestre vinha caminhando e à sua frente vinham os comentários. Assim como nas ocasiões em que vamos pregar em uma cidade e as pessoas dizem: "Venha participar desse encontro porque teremos a presença daquele padre; vai ser maravilhoso, e aquele cantor vai estar lá etc." Era assim com Jesus também.

Quando esse cego descobriu que era o Jesus de que tanto falavam, ele começou a gritar: "Jesus, Filho de Davi, tem piedade de mim!". E aí vieram os problemas que ele teve de enfrentar. Os que estavam perto mandaram que ficasse quieto. O encardido já estava ali: "Não fique berrando, não, rapaz, não vê que está atrapalhando?"

Mas ele continuou gritando, tanto que Jesus chegou perto dele. É impressionante o humor de Jesus. É excepcional a cena do cego aos gritos e Jesus vira-se e diz para ele: "O que você deseja?". É claro que ele queria ver. "É, então, vê." Nunca podemos esquecer que na Bíblia o milagre é sempre uma resposta. E é por isso que não acontecem milagres na vida de muitos católicos, porque os católicos ficam esperando o milagre.

Lembram-se do gaguinho Moisés? Deus sempre escolhe os piores, por isso escolheu a mim e a você. Essa é uma marca registrada de Deus. Quando ele foi escolher o pai de seu povo, escolheu o velho Abraão, cuja mulher, Sara, já estava havia mais de 46 anos na menopausa, e era estéril. Tanto que, quando o anjo falou que ela teria um filho, ela chegou a rir.

Quando quis escolher um profeta para falar de sua Lei para seu povo, Deus escolheu Moisés, um gago. Os grandes santos em primeiro lugar foram grandes pecadores, mas fizeram essa experiência de ir ao encontro do Senhor e provocar uma resposta. Por isso, todo milagre é sempre uma resposta. Deus abriu o Mar Vermelho, mas foi Moisés que teve coragem de pisar na água.

Jesus curou o cego de Jericó, como resposta àquilo que o cego buscava. Nas bodas de Caná, um milagre maravilhoso transformou água em vinho. Quem carregou a água? Foi o Senhor? Os servos carregaram 720 litros de água, o poço ficava pelo menos de um quilômetro dali, e se tivessem colocado cem litros de água teriam somente cem litros de vinho.

Deus sempre nos dá conforme buscamos, o milagre é sempre resposta. No lindo milagre da multiplicação dos pães, os apóstolos queriam mandar embora uma multidão porque não havia comida nem dinheiro. Jesus virou-se para eles e disse: "Vocês mesmos devem dar de comer a eles."

Jesus viu que ali havia um menino olhando para ele, e esse menino havia trazido merenda. Jesus gostou demais da criança e, quando falou "Vocês mesmos devem dar de comer", o fez para ver o jeito da criança. E o que o pequeno fez? Levantou-se e deu tudo o que tinha, por isso o milagre se chama multiplicação. Jesus podia ter feito uma cena linda, poderia ter feito alguma coisa que tivesse repercussão. Um discurso, por exemplo, assim: "Silêncio, por favor. Vejo que muitas pessoas estão com fome, Amém! Por isso vou pedir a meu Pai. Vocês estendam suas mãos em minha direção, eu vou pedir e o Pai vai abrir essa nuvem, e dessa nuvem agora vai ser derramado pão em abundância para vocês." O Pai estava acostumado a fazer isso, pois fez chover maná quarenta anos no deserto. Mas haveria gente reclamando: "É, tem pão, mas não tem manteiga. Só pão? Não tem uma geléia para pôr, não?" Mas o milagre chama-se multiplicação, porque Jesus pegou os cinco pães e os dois peixes e foi multiplicando. A matemática nos ensina uma coisa muito simples: a multiplicação é uma operação que nunca pode ser realizada sem nada. Qualquer coisa multiplicada por zero dá zero. Por isso não acontecem milagres em sua vida. Você tem um bilhão da graça de Deus, mas que multiplicado pelo zero de sua fé dá zero.

O milagre é multiplicação. O que você é capaz de dar? O menino deu toda a sua merenda. E se fosse você que tivesse a merenda, haveria milagre? Ou você pensaria: "Cinco pães e dois peixes não são suficientes mesmo para esse povo todo, então vou me esconder atrás de uma moita e comer sozinho, e ainda fazer cara de fome."

Por isso não existem milagres, é uma lógica. Jesus é engraçado porque devolve o problema. Ele pergunta para o cego: "O que você quer?" Ou seja, "mostre o que você quer." Não adianta nada querer com a boca e na hora de arregaçar as mangas não querer nada, ou só querer para você. Milagres acontecem quando há pessoas como o menino, que teve coragem de dar tudo o que tinha. Por isso na missa há os coroinhas, não é porque o padre não pode pegar sozinho o pão e o vinho. O que simboliza aquele menino ou menina que traz o pão e o vinho e põe-nos em cima do altar? Eles simbolizam o menino que teve a coragem de dar a merenda. O pão e o vinho são a merenda. Jesus disse: "Eu sou o pão da vida, quem come a minha carne não morrerá." Mas, como vão acontecer milagres, como vão acontecer curas e prodígios se você está com os braços cruzados e só pensa em você?

Por isso não acontecem milagres, porque o espírito de líder só pensa em si. O milagre é uma resposta de Deus, é preciso buscar esse milagre, e buscar por meio da minha fé, da adesão ao Senhor. Cada um precisa fazer sua parte, e não ficar de braços cruzados, pedindo ajuda, esperando. Sabe por que há tantas doenças no mundo? Porque há muitas pessoas vivendo na mágoa, no pecado e no sofrimento.

Você já notou que a medicina ultimamente descobre cada vez mais nomes de doenças? E as pessoas adoram falar em doenças e reclamar. A vida parece uma fila de INSS, cada um parece gostar de sofrer mais que o outro. "Ah, eu sofri tanto", "Ih, eu sofri muito mais". "O meu marido era muito ruim." "O meu era muito pior." Por que nosso mundo é tão doente? A Palavra de Deus é a resposta dele para nós, mas se não lemos nem meditamos, não descobrimos.

Jesus não é curandeiro, Jesus é Salvador. As pessoas correm atrás de curas e pagam um preço terrível por elas. São capazes de entregar a própria salvação pela cura. Estamos criando uma raça de gente fraca, de pessoas que não lutam, não têm garra. Por isso, por qualquer motivo caem nas drogas, nos antidepressivos, no alcoolismo, gente igual a beija-flor. Vão ao padre que cura, procuram um pai-de-santo... Mudam de religião como se mudassem de roupas. "Ah, mas o Deus é o mesmo, Jesus é o mesmo." Meu Deus não é o Deus de muitas religiões por aí, não. O Deus em que acredito é o Deus de Jesus Cristo, não é um Deus que manda doenças. Quantas vezes ouvimos católicos falarem: "Vocês precisam se conformar, é a vontade de Deus." O marido abandona a esposa, vai embora, é sem-vergonha, arruma outra... Isso é vontade de Deus? Nosso Deus é o Deus que ama, o Deus da cura e da vida. Procurem na Bíblia católica se está escrito que Jesus falou que é preciso se conformar com as doenças, ou que Deus as mandou para você mudar de vida.

A doença é conseqüência do pecado da humanidade, é conseqüência de nosso afastamento de Deus, e a doença ofende a Deus tanto quanto nos ofende. Ela pode até ser um grande caminho para chegar até Deus, mas não é ele quem manda. Imagine uma mãe todos os dias falando para o filho: "Não fique descalço, filho, seu pai está construindo lá trás. É perigoso, meu filho, ponha os sapatos." Um dia ela não falou, o filho não pôs sapato e ao final chegou chorando com um prego enorme atravessado no pé. "Mamãe não avisou? Mamãe tinha ou não tinha razão, mamãe quis ensinar você. Agora fale: 'Eu sou culpado, eu não devia ter desobedecido a mamãe'. Agora você vai ficar uma semana com esse preguinho no pé para aprender a obedecer a mamãe." Uma mulher dessas deveria ser internada em um hospício. E como é que Deus faz isso, então?

A Bíblia diz que Jesus curou todos os doentes. E onde está o problema, então? Em nós. Falta-nos um encontro pessoal, como o Papa João Paulo II nos falava: "De olhos abertos, de coração palpitante com o Senhor." Falta despir-nos do homem velho, arrancar de nosso peito esse coração de pedra, tirar esses nossos vícios, esses nossos pecados, a maledicência, fofoca, o egoísmo, falta-nos essa mudança. Esse novo céu, essa nova Terra que foi profetizada para ser construída com gente que experimenta um Deus que ama, um Deus que cura, um Deus que sara, um Deus que liberta, e um Deus que está vivo, e que é o mesmo ontem, hoje e sempre. Um Deus que quer entrar em minha e em sua vida.

Jesus diz: "Eu estou à porta e bato." E nós, católicos, não temos desculpas porque temos Jesus Cristo vivo. A Eucaristia é um encontro pessoal com Jesus Cristo vivo, quando o sacerdote levanta aquele pão e aquele vinho e diz: "Isto é o meu corpo, isto é o meu sangue." Mas como nós, católicos, vivemos a Eucaristia? Muito mal. Quando celebro a Eucaristia em alguns lugares, como diz o mineiro, é de dar dó. Vivemos mal demais nossa fé, não nos preparamos para nosso encontro pessoal com Jesus na Eucaristia, que é o Corpo e o Sangue de Nosso Senhor Jesus Cristo vivo. Sabem por que nós temos esse tesouro? Porque quem fundou nossa Igreja não foi o bispo fulano, nem foi um pastor ou alguém que teve uma visão. Quem fundou nossa Igreja foi o próprio Jesus Cristo, e nos deu também Maria como mãe, nos deu a Eucaristia.

Eucaristia que muitos católicos só procuram quando estão a fim. "Ah, eu não vou porque o padre não é carismático." O padre pode ser até asmático, a Eucaristia quem celebra é Jesus Cristo. O padre, quando pega a hóstia e diz: "Isto é o meu corpo", é o próprio Jesus Cristo. Na hora do sacramento da confissão e na hora da celebração eucarística, é Jesus que assume a presença do padre. "Mas aquele padre é pecador." É lógico. Deus sempre escolhe os piores, para que a graça de Deus trabalhe em nós, como Paulo disse: "Eu pedi ao Senhor que me tirasse esse espinho na carne, e ele me disse: 'Basta-te a minha graça.'" A eucaristia é o encontro pessoal com Jesus. É a transubstanciação do Cristo que vai além da forma do pão e do vinho e acontece também na pessoa do sacerdote.

O Espírito Santo é tão maravilhoso que transforma o pão e o vinho, é Ele que invocamos sobre os diáconos em sua ordenação. O bispo e os outros sacerdotes impõem as mãos para transmitir o mesmo poder que veio dos apóstolos, de Pedro, posteriormente de Paulo, que não era do grupo dos apóstolos, mas que veio para a história da Igreja. Esse Espírito Santo é o mesmo Espírito de Jesus que está presente em todos e em cada um dos sacramentos da Igreja Católica. É o mesmo Espírito Santo no qual podemos absolver os pecados, é o mesmo Espírito Santo que está presente na unção dos enfermos, no Sacramento do Matrimônio. É o Espírito Santo que no dia de seu batismo marcou você com o selo de Deus. Nem mesmo o inferno tira essa marca, nada nem ninguém tira essa marca de Deus em nós. Essa é a fé da Igreja Católica, é uma marca que chega ao íntimo de nosso ser. Eu pertenço ao povo de Deus, a esse exército de Deus, e estou sendo convocado na construção desse novo céu, dessa nova Terra, nessa civilização do amor.

É esse o projeto de Deus para cada um de nós, e por isso precisamos nos convencer de que nós somos esse cego, e gritar ao Senhor: "Senhor, tem misericórdia de mim, tem piedade de mim, Senhor, eu sou pecador, mas quero ver, quero enxergar esse mundo novo, quero enxergar as pessoas com os olhos diferentes."

E basta virar uma página na Bíblia para ver a linda continuação desse Evangelho em Jericó, que retrata o encontro de Jesus com Zaqueu. Porque será que Zaqueu se tornou ladrão? Falta de cura interior. Para os judeus, é muito importante a figura do homem, a masculinidade. Imagine o pobre e coitado do Zaqueu, pequeno, feinho, magrinho. Zaqueu cresceu cheio de mágoa, pensando: eu queria ser grande, eu queria ser grande. Como não podia ser grande no tamanho, descobriu um jeito de ser grande roubando: "Quando eu for rico, quero ver se todas essas mulheres não vão gostar de mim também." Zaqueu começou a roubar, ficou rico e importante, mas continuava aquele vazio em seu coração e por isso não era feliz.

Quando ele ficou sabendo de Jesus, igual ao cego, Zaqueu foi àquele acampamento, mas não conseguia ver Jesus porque havia muita gente e ele era muito pequeno. Ficou então imaginando de onde Jesus sairia, subiu em uma árvore e ficou lá olhando Jesus. Jesus vem do meio daquele povo todo e pára na frente de Zaqueu, olha para cima e diz: "Zaqueu, desce da árvore, hoje eu vou jantar em sua casa." Zaqueu deve ter despencado de cima daquela árvore.

Jesus não falou nada do pecado dele, nem perguntou nada de seu passado. O Senhor não recitou nenhum versículo da Bíblia para ele. Sentou, ficou do mesmo tamanho de Zaqueu, e conversaram muito. Na hora de ir embora, Jesus falou: "Agora está na hora, porque vocês sabem que amanhã é dureza... tenho de seguir viagem para chegar a Jerusalém." Nesse momento, Zaqueu levantou-se e disse: "Senhor, se eu pequei, vou devolver até quatro vezes mais." Jesus olhou e disse: "Oh, Zaqueu, hoje a salvação entrou na tua casa." Esse é o milagre; talvez hoje você esteja tão cego que não esteja enxergando a vida como Deus quer. Você está cego pelo pecado e pelo ódio.

Às vezes, você até fala: "Eu estou cego de ódio." E está mesmo cego pelo pecado e pelo ódio, não consegue enxergar as coisas, ou talvez você só consegue enxergar as coisas pequeninas. Ou, como Zaqueu, você está cheio de pecados, pensando que é importante só porque veste uma roupa nova ou um tênis da moda. Ao pensar que é mais que os outros, talvez você esteja perdendo sua vida, gastando-a em comprar coisas, na ilusão de que se tiver muitas coisas vai ser amado, vai ser importante, porque as pessoas gostam de quem tem sucesso.

Tenha a coragem hoje de ser cego ou cega e falar: "Jesus, Filho de Davi, tem piedade de mim!" Tenha a coragem de hoje ser Zaqueu e dizer: "Senhor, se eu pequei, onde foi que eu pequei, eu vou mudar de vida, e vou começar uma vida nova." Zaqueu subiu em uma árvore para ver Jesus, só que ele não sabia que Jesus estava louco para vê-lo também. Na Eucaristia você pega Jesus em sua mão, e ele entra em você e se torna "um conosco". Isso é o absurdo do absurdo.

Amar é acreditar nesse absurdo, e nosso Deus é o Deus do absurdo. Imagine ele se tornar um pedaço de pão e um pouco de vinho. Mas você entende por que o pão e por que o vinho? O pão, para ser pão, precisa que o trigo seja pisado, moído, triturado. Para se obter o vinho, a uva deve ser pisada até mesmo com os pés. Por isso Jesus escolheu esse alimento. O alimento da humildade, esse pouquinho da humilhação pisado "é Jesus que se coloca no meio de nós, como aquele que serve." Você precisa abrir os olhos, porque não é só cego quem não enxerga, não. Jesus quer nos curar da cegueira que nos impede de enxergar seu plano de amor em nossa vida, que nos impede de experimentar sua misericórdia. Com isso, não permitimos que o Senhor nos cure e sare, mostrando seu poder e transformando nossa vida.

Nosso Deus quer nos libertar. O cego teve coragem de gritar com Jesus, mesmo com as pessoas interferindo. E você, tem coragem de gritar, de dizer a Jesus o que você quer que Ele faça a você? Mas essa fé deve passar pelo fogo para ser purificada, como o ouro. E esse fogo é o fogo do Espírito Santo, que nos purifica, nos restaura e faz de nós uma obra nova, como o monte de barro nas mãos do oleiro.

Molda-nos como o oleiro, Senhor, limpando todas as sujeiras, impurezas, e molda-nos segundo o coração de Jesus.

Triunfe em vossos corações a paz de Cristo, para a qual fostes chamados a fim de formar um único corpo.
E sede agradecidos (Cl 3,15).

O triunfo da paz

O Cristo, que é a paz de Deus, vem para fazer-nos participantes dessa paz. Por que escolhi esse texto? Gosto de São Paulo, porque ele é bem realista, bem pé no chão. Não gosto de ouvir esses pregadores, essas religiões que falam: "Entregue sua vida para Jesus e seus problemas terminarão", "Eu já entreguei minha vida para Jesus e agora não tenho mais problemas, aleluia!" Então você morreu.

O que o Senhor quer nos dizer com essa palavra? O que Jesus quer nos ensinar de uma forma tão concreta e que todos nós experimentamos? Nós teremos problemas. "Venha aqui que vou orar por você e seus problemas acabarão." Isso é mentira, é falsa evangelização. Jesus nunca disse para alguém: "Eu vou resolver seus problemas." Se você acha que rezando terá uma predileção especial de Deus, pode parar de rezar. Nossa oração não muda Deus; Deus não precisa mudar. Nossa oração modifica a nós mesmos, e nos faz compreender que a vida Cristã é um contínuo e constante combate.

Por isso, São Paulo usa esse termo tão determinante. Triunfe em vossos corações a paz de Cristo. O que quer dizer triunfo? Tem a ver com guerra, com luta. Paulo está dizendo que não será fácil. Não pense você que a paz de Deus é uma apatia. O cristianismo não tem nada a ver com o budismo. No zen budismo a pessoa fica sentada o dia inteiro, pode passar um mosquito, morder a orelha dela e ela não se mexe.

Ser cristão pressupõe luta, garra, ser de fato guerreiro, interior e exteriormente falando. Jesus chega a dizer que o reino dos céus é dos violentos e que só os violentos vão conquistar esse reino. Que violência é essa? Ressuscitados com Cristo, buscai as coisas lá do alto (Cl. 3,1).

Na medida em que buscamos as coisas do alto, na medida em que procuramos construir a paz, percebemos que existem dois grandes obstáculos interiores e exteriores que precisam ser vencidos. Não existe fórmula pronta, não existe uma oração de apatia. "Senhor, eu lhe peço que afaste de mim os problemas." Deus não vai afastar.

O grande sermão da felicidade - Mateus, capítulos cinco, seis e sete -, o grande sermão das bem-aventuranças, da felicidade humana, da vitória e da paz, do buscar em primeiro lugar o reino de Deus nos dá uma conclusão fabulosa: aquele, pois, que ouve estas minhas palavras e as põe em prática é semelhante a um homem prudente, que constrói sua casa sobre a rocha (Mt. 7,24).

O evangelista, no versículo 25 e depois no 27, repete uma seqüência de ataques que aquela casa vai sofrer. Vocês se lembram qual foi o primeiro ataque? Caiu a chuva, sopraram os ventos, veio a enxurrada, investiram contra a casa. E ela não caiu. Na casa construída sobre a areia, caiu a chuva, sopraram os ventos, veio a enxurrada, investiram contra a casa. E ela caiu. Jesus quer nos ensinar que seremos atacados, de cima, de lado e de baixo. Caiu a chuva de cima, o vento de lado, e a enchente veio por baixo.

O encardido vai tentar achar uma brecha em sua vida para derrubá-lo. Vai procurar no seu passado, no seu presente ou no futuro. Ou vai procurar atingir seu relacionamento familiar, seu namoro, seu matrimônio ou sua vida econômica. Como um leão, fica rodeando até achar a hora de dar o bote. Ou fica, segundo Gênesis 1, igual a uma serpente escondida no meio do mato, que olha você disfarçada e na hora certa te dá um bote pra te derrubar.

Assumir a missão de ser cristão significa perder o sossego. Não se pode achar que paz é comodismo, é ausência de problemas. A paz a ser construída, o *shalom* de Deus, tem um modelo: Jesus.

Isso significa luta, garra. E, cada vez mais, me convenço de que estamos criando pessoas fracas. Estamos diante de pessoas que a qualquer problema desistem, porque tudo ficou fácil demais. O mundo é rápido demais, você aperta um botão e resolve. No carro, você aperta um botão e o vidro sobe. O fogão não precisa mais de fósforo porque já acende sozinho. Tudo fácil.

A vida não é assim, não existe um botão para resolver os problemas, e as pessoas estão atrás disso, é essa a religião da Nova Era. A religião da Nova Era está se infiltrando na Igreja Católica, até na Renovação Carismática. Algumas pessoas se dizem católicas e afirmam: "Sou católica, mas do meu jeito." Se você é do seu jeito, isso o encardido também é. "Eu vou à missa quando quero, sigo apenas os mandamentos que julgo estarem certos, e aqueles que acho que estão ultrapassados deixo de lado."

Então vivo do meu jeito, e isso não é cristianismo, isso é religião da Nova Era, a religião do "eu". Nossa religião é de um grande "eu", que é o Senhor, e a paz somente Ele pode nos dar. Cristo é nossa paz, nosso modelo. Infelizmente, estamos criando pessoas fracas. O jovem, quando não quer as coisas, se rebela, foge de casa. Os pais se esforçam para dar tudo o que ele quer; quando não conseguem, o filho foge para as drogas. Muitos adultos, diante dos problemas, o que fazem? Vão beber. Diante dos problemas, das dificuldades, morreu uma pessoa, as pessoas buscam calmantes e antidepressivos. É preciso chorar, sofrer, viver, experimentar. Parece que estamos anestesiando as pessoas, e por isso não encontramos a paz verdadeira.

Jesus disse que a paz que o mundo oferece não é a dele. A paz dele é diferente, é fruto da garra. São Paulo diz: "Combati o bom combate." Ele nos ensina que a vida espiritual é semelhante à vida civil, ao atleta que persegue o alvo, corre, luta, descruza os braços, sonha com esse mundo novo e trabalha em sua construção.

Triunfe em vossos corações a paz. Isso também é no sentido interior. Essa paz não significa que você vai estar todo dia alegre, todo dia feliz. Por que muitos casamentos não dão certo? Porque não triunfa a paz. O que triunfa? Triunfa a guerra. Por que no namoro é uma beleza? Um fala baixinho, outro escuta... Quando casam, no começo é a mesma beleza, um escuta o outro. Dez anos depois de casados, os dois falam e os vizinhos escutam. É uma revolução terrível. Triunfa o quê? A discussão, a briga.

O triunfo da paz significa uma conquista, significa que vamos passar por problemas, por dificuldades. Em alguns dias, você vai estar para baixo e não com a mesma disposição de sempre, porque você é humano e precisa colocar o pé no chão, mas os olhos devem estar fixos em nosso alvo, Jesus. Ele é nossa paz, nosso modelo. A carta de Paulo aos Filipenses diz que nosso único fundamento no qual podemos construir é Jesus Cristo.

Olhando para Ele, seu jeito de agir, de amar, de evangelizar, lutar, descobrimos a nossa paz. Lemos na carta aos Colossenses que a restauração em nós acontece gradativamente. Aqui está a grande diferença do batismo do Espírito Santo na Igreja Católica e na teologia protestante, na teologia evangélica. Para eles, batismo no Espírito é algo estático. Na Renovação também vemos esse erro, quando a pessoa diz: "Eu fui batizado no Espírito Santo no dia 29 de fevereiro de 1990, em um seminário de vida."

Que pena, ficou lá seu batismo? O cristão deve ser batizado no Espírito todos os dias, a toda hora. A dinamicidade do Espírito em grego (Atos 1,5 e 8) é *dínamos,* que significa *força do alto*. Sereis revestidos com a força do alto.

O que é *dínamos*? É a peça que gira e, com a força da água que cai, gera eletricidade, força, movimento.

O Espírito Santo é *dínamos,* é força dentro de nós, que age a cada dia e não apenas uma vez. "Orai sem cessar; em todas as circunstâncias, dai graças." Perseverar, caminhar, lutar, crescer. Se cair, levante. Por isso temos a confissão, por isso temos a Eucaristia que nos alimenta.

A construção da paz nunca estará pronta. No dia em que você cruzar seus braços acreditando que ela está pronta, ela começa a estagnar de novo. Como uma casa que você constrói: ela fica linda nova, mas começa a estragar e envelhecer, sendo preciso reconstruí-la sempre, limpando, fazendo reparos e, de vez em quando, providenciando uma reforma, uma pintura, consertando as goteiras. Assim é conosco. "Eu entreguei minha vida para Jesus, e ele resolverá meus problemas." Jesus não resolve seus problemas!

Cristão vive na luta. A cada dia caminha um pouco, cresce um pouco, sem perder o alvo. No dia em que cruzamos os braços, começamos a cair. A vida cristã, a vida no Espírito é feita entre o espiritual em nós, nossa alma e nosso emocional. Espiritual-físico, que envolve nosso corpo, nossas necessidades econômicas e financeiras. São dois aspectos que precisam ser equilibrados.

Triunfe em vossos corações a paz de Cristo. Isso significa também nossa luta interior. Todos nós, conforme vamos vivendo, nos machucamos. Isso acontece no namoro, em uma vida de comunidade, entre marido e mulher, entre pais e filhos. Quando começar um relacionamento, uma amizade, um namoro ou um casamento, atenção aos pensamentos do tipo: "Padre eu achei o homem da minha vida, ele é um sonho." Cuidado, vai virar pesadelo, porque não existe ser humano perfeito, mas existe um ser humano limitado, em constante luta, em constante crescimento interior, um ser humano que, se perder a meta de sua vida, cai e não levanta mais.

Jesus não veio ensinar a salvação para depois da morte. Ele vem ensinar a construir o reino de Deus. Você precisa ter uma missão, ser construtor da paz. E o que é construir a paz? Essa paz se constrói na luta, na garra, se constrói no dia-a-dia sem perder o alvo. Triunfe em vossos corações a paz de Cristo. Isso significa que vamos passar por situações difíceis, de mágoa, ressentimento, ódio, decepção, principalmente em nossos relacionamentos. Aliás, os relacionamentos que mais nos machucam são aqueles que envolvem as pessoas com que temos maior proximidade. Uma pessoa longe de mim não me machuca, mas aquele que vive comigo me machuca, dificulta minha caminhada e deixa marcas negativas.

Construir a paz quer dizer viver e estar sempre sob a ação de Deus. É um crescer, contínuo, a ação do Espírito Santo. Deus é fabuloso, Ele nos dá as coisas na medida em que nos abrimos para Ele. Existe uma pessoa no mundo com quem precisamos ter paciência: nós mesmos. Enquanto não aprendermos a ter paciência conosco, não teremos paciência com os outros.

Se você criar um mundo ideal, um mundo de sonhos, esse mundo não existe. É alienação, fuga, e isso não é de Deus.

Pela ação do pecado, o ser humano está destruindo o mundo. Por que temos tantas pessoas desabrigadas? Por que Deus quis? Por que a ganância do ser humano começou a desmatar as florestas e não a replantá-las? Nas cidades, as áreas verdes dão lugar a superfícies cimentadas. Na roça, a água cai e penetra na terra. Na cidade, só temos asfalto, telhado e cimento; a água cai e precisa escorrer para algum lugar, e acaba parando em algum lugar que está sujo porque todo mundo joga lixo nas ruas. Imagine as margens do rio Paraíba: quantos milhões de litros de detritos industriais e humanos são jogados no rio sem nenhum tratamento? Nossos rios são verdadeiros esgotos a céu aberto.

Enquanto o homem do campo está feliz com a chuva, na cidade ela ocasiona a enchente, e muitas pessoas são capazes de se revoltar contra Deus. Sempre é mais fácil achar um culpado para nossos problemas, para nossas derrotas, para nossas dificuldades, não queremos assumir que o problema está em nós, e passamos a buscar culpados. O discurso dos derrotados é aquele que tenta justificar todos os erros cometidos encontrando o erro dos outros. Por que as pessoas gostam de mostrar os erros dos outros? É para ver se desviam a atenção do seu erro.

Se você quer ver triunfar a paz em seu coração, não busque culpados para suas derrotas. Aceite uma verdade muito profunda: você é limitado, você é fraco. Paulo experimentou essa verdade quando pediu para o Senhor tirar o espinho de sua carne, e o Senhor disse: "Basta-te minha graça." O Senhor estava ensinando que Paulo era fraco. Você pode ter muitos talentos, muitos dons, pode saber fazer muitas coisas, mais você vai cair.

Você precisa deixar-se conduzir pelo Espírito Santo. Ele nos revela que somos fracos, mas que Deus trabalha a partir da nossa fraqueza. Deus chama pessoas fracas, para que por meio da fraqueza delas se manifeste sua força e seu poder. O triunfo da paz é deixar vencer a paz e não o ódio, não as dificuldades, não os problemas. Então não preciso buscar culpados para minhas derrotas. Dobro meu joelho no chão e reconheço que sou fraco, limitado, e que necessito da graça de Deus.

O cristão não pode criar máscaras, interiores ou exteriores, como a droga, o antidepressivo, o álcool, as brigas. Tampouco tentar mostrar as fraquezas e os defeitos dos outros para que de alguma forma ninguém enxergue sua fraqueza. É inútil tentar achar justificativas, como: "Por que sou assim?", porque meus pais não gostavam de mim, porque em meu passado aconteceu isso comigo, porque sofri muito. A vida é o hoje, é luta, é garra, e não interessa o que você foi ou deixou de ser. Essa é a grande mensagem de Jesus, a mensagem que mais me impressiona. Jesus nunca pergunta sobre o passado da pessoa, pois ele deseja que em nosso coração não triunfe o passado, não triunfem as experiências negativas, as mágoas, o ressentimento, a doença, a mentira, os vícios.

Que em nosso coração triunfe a paz de Cristo. Essa é sua vocação. Esse é o grande chamado de Deus para nós. Devemos permitir que Deus triunfe em nós, em nossa casa, em nossa vida, em nossas dificuldades. A paz do Cristo é a paz que cura, o *shalom* de Deus que cura, restaura e transforma.

Sua história vai sendo construída por você, a cada dia na luta, mas se você colocar o sucesso como meta, você mesmo se fará um fracasso. Vai nadar e morrer na praia, ou ser uma maria-vai-com-as-outras.

O cristão não pode ser uma folha que se joga em um rio e se deixa levar pela água. É preciso nadar contra a corrente. O mundo vai sempre nos pregar o falso evangelho da fuga, do medo, da solidão, do fracasso. Por que o mundo gosta tanto de notícia ruim? O encardido tenta fazer com que você se acostume com as coisas erradas do mundo. Por que o mundo gosta de revelar os defeitos dos outros? Tem pessoas que sentem até alegria em descobrir defeitos nos outros.

Você tem que pensar que, como os outros, você também é fraco. Para que a paz de Cristo triunfe em nossa vida, é preciso primeiramente admitir nossa fraqueza: "eu preciso de Deus". Isso não significa cruzar os braços, acomodar-se. Isso quer dizer luta, iluminada na força do Espírito Santo, para vencer os vícios, os pecados, as dificuldades interiores e exteriores, os problemas psíquicos, afetivos, espirituais. Significa caminhar por meio da cura interior. Se você descobre uma área em sua vida com mágoa, ressentimento, deixe a paz de Cristo triunfar em seu coração.

Diga para você mesmo, naquela hora em que ficar furioso e tiver vontade de dar um soco em alguém: "Que a paz triunfe em meu coração. Que vença a paz! Tenho de ser um guerreiro, estou em uma luta." E a nossa luta não é essa do mundo, a nossa luta é contra o encardido e seu exército. Ele tenta nos derrubar, nos enganar. De que modo? Para aquelas pessoas que têm uma imagem negativa de si mesmas, ele trabalha a auto-suficiência, como: "Eu posso e não preciso de ninguém", ou trabalha ao contrário: "Eu não posso, eu não sou ninguém." Deus colocou em cada um de nós todas as condições de que precisamos para serem felizes. Essa palavra nos diz que temos uma vocação.

Fomos chamados para viver a paz, a paz que é Jesus. A paz que os anjos cantam aos pastores, que Jesus vem trazer aos seus discípulos, que significa cura interior, restauração. Restauração à imagem de Jesus e não à imagem do mundo. Nosso modelo é Jesus, é o caminhar, é ter uma meta, é saber para onde ir, é permitir que o Espírito Santo conduza nossa vida a cada dia.

Se você for honesto consigo mesmo, em algum momento vai perceber que não adianta tentar achar culpados. Não adianta tentar achar que seu pai, sua mãe, seu irmão, sua irmã, ou alguma experiência do passado têm culpa. Ou até mesmo se você vive em comunidade: não adianta nada alimentar em seu coração o ódio e a vingança somente porque existem pessoas que você acha que são melhores que você.

O jovem é como um touro: não sabe a força que tem. Se o touro percebesse sua força, ninguém colocaria uma canga nele. O jovem é assim, por isso muitas vezes põe os pés pelas mãos. Deixa-se levar, acredita em sonhos e ideais que não existem. O mundo quer nos iludir. O jovem precisa perceber essa força interior que Jesus vem mostrar e que está dentro de cada um de nós.

Jesus quer nos ensinar de dentro para fora, na medida em que você deixa triunfar a paz. Triunfo, como eu dizia, tem a ver com guerra. Que guerra interior você está vivendo? Talvez seja a guerra contra o vício. É muito fácil, por exemplo, jogar fora um maço de cigarros se você tem dinheiro para comprar outro. Deixe o Espírito Santo cortar a raiz desse vício.

Não adianta apenas jogar fora o maço de cigarros se você não jogar a raiz dessa dependência. Repita, a cada dia: "Por hoje eu não vou mais fumar." Isso é igual ao trabalho que fizemos com jovens: eles aprenderam a dizer, a cada dia: *por hoje não, por hoje eu não vou pecar, por hoje não vou fumar, por hoje não vou cair na maconha, por hoje não vou cheirar cocaína, por hoje não vou fazer fofoca, por hoje não vou reclamar, por hoje não vou mentir, por hoje não vou pecar contra a minha castidade, por hoje não vou me masturbar, por hoje não vou me prostituir, por hoje não vou deixar o homossexualismo tomar conta de mim*. Isso é o triunfo da paz, é muita luta e garra. O triunfo da paz é possível.

Ainda há tempo. Hoje é o tempo, o tempo de Deus. É possível, mas tenho de resistir às ciladas do demônio. Cada dia você terá de dizer *por hoje não, por hoje não vou deixar a mágoa tomar conta de meu coração, por hoje não vou deixar me levar por aquela fofoca, não vou alimentar as mágoas de meu coração.* O contrário precisa ser feito também: *por hoje vou perdoar, por hoje vou ler ao menos quatro capítulos da Bíblia* (se você ler de três a quatro capítulos por dia, em um ano você lê a Bíblia inteira), *por hoje vou tirar dois minutos para rezar, por hoje vou rezar meu terço, por hoje quero sorrir para as pessoas, hoje eu vou chegar a minha casa e dar um abraço em meu pai.*

Você começa a encher seu coração com esse triunfo da paz. Você tem dificuldade? Tem. Você tem problemas? Tem. Você tem pecados? Tem. Não pense você que vai existir um milagre, e alguém vai chegar e pôr a mão na sua cabeça e quando tirar a mão de sua cabeça terão desaparecido seus problemas, seus pecados, seu passado. Isso não existe.

Existe o caminhar. Uma longa caminhada se faz com pequenos passos. Se você quer chegar logo, saia correndo. Mas, se você tem uma longa caminhada, ganha quem está na resistência, quem está na persistência, quem está na luta. Nós vamos construindo essa paz, vamos nos tornando construtores da paz. O que mais aparece em uma construção? A pintura, o lustre, o verniz. Mas o mais importante é o fundamento, é o aço, e é isso que custa caro. Quanto mais alto for o prédio, mais construção vai ter que ter para baixo.

O ser humano precisa aprender a descobrir onde ele precisa mudar, onde precisa deixar o Espírito Santo transformar. É o que São Paulo fala em Romanos, no capítulo doze: "Não vos conformeis com este mundo, mas transformai-vos pela renovação da vossa mente. Da vossa mentalidade."

A cada dia, quero que triunfe a paz em meu coração. Você precisa ter coragem de pegar a vida e colocá-la na mão. Pense nas áreas em que o encardido tem mais facilidade para atacar. Cada pessoa tem uma área diferente, cada um sabe onde está seu ponto fraco. Seu ponto fraco pode não ser o cigarro, mas isso não dá a você o direito de condenar quem fuma, pois quem sabe você tem um vício muito pior que não aparece. Talvez você seja viciado no cigarro da fofoca, da malícia, da mentira, da falsidade, do ódio, que é muito pior porque corrói a pessoa por dentro, gera impureza no olhar, no falar, no ouvir.

Onde estão seus vícios? Não adianta esconder, Jesus disse que tudo que está escondido um dia virá à tona. Não adianta tentar pôr a máscara; se você tem um defeito, assuma-o, brinque com ele. Assuma sua fraqueza. Isso é o triunfo da paz.

"Eu tenho um defeito e quero disfarçá-lo." Não adianta, você vai achar alguém que queira ser alguém exatamente como você. Toda panela tem sua tampa, e se você não achar uma tampa é porque sua vocação é ser uma frigideira; então seja uma frigideira sem tampa! Triunfo da paz significa assumir quem somos com nossas fraquezas, misérias e limitações.

Deus me ama e me chama do jeito que eu sou. Não preciso inventar disfarces exteriores ou interiores. Você tem um vício? Você tem um pecado? Vá em busca de alguém, dobre seu joelho no chão e peça oração para as pessoas. Nunca julgue o outro.

Triunfo da paz significa: eu sou fraco, tenho fraquezas, tenho limitações, preciso de Deus e posso ser feliz com minhas dificuldades. Que em seus corações triunfe a paz de Cristo para a qual foram chamados a fim de formar um único corpo, e sejam agradecidos. O que é esse único corpo? Algumas traduções dizem: íntegro, inteiro. E inteiro quer dizer que eu não estou despedaçado por aí.

A pessoa que cria máscaras é uma pessoa despedaçada. Em cada lugar que vai, coloca uma cara, mas chega um momento em que ela confunde a cara. O mesmo se dá com quem mente, que fica na dúvida se já contou aquela mentira ou não, e quando conta a mentira de novo não consegue contar igual. O encardido sempre dá combustível e você sempre tenta aumentar, inovar a mentira.

Ser inteiro, íntegro. Íntegro significa que não estou despedaçado nem por fora, nem por dentro, que estou deixando

Jesus curar e transformar minha vida, que estou deixando o Espírito Santo trabalhar em meu coração. Você quer que triunfe a paz na sua vida? Então aprenda a parábola do bambu:

Depois de uma grande tempestade, o menino que estava passando férias na casa do seu avô o chamou para a varanda e falou:

– Vovô, corre aqui! Como esta figueira, árvore frondosa e imensa, que precisava de quatro homens para abraçar seu tronco, como ela se quebrou e caiu no vento e na chuva, e este bambu tão fraco continua em pé?

– Filho, o bambu permanece em pé porque teve a humildade de se curvar na hora da tempestade. A figueira quis enfrentar o vento.

O bambu nos ensina sete coisas. Se você tiver a grandeza e a humildade dele, vai experimentar o triunfo da paz em seu coração.

A primeira verdade que o bambu nos ensina, e a mais importante, é a humildade diante dos problemas, das dificuldades. Eu não me curvo diante do problema e da dificuldade, mas diante daquele, o único, o princípio da paz, aquele que me chama, que é o Senhor.

Segunda verdade: o bambu cria raízes profundas. É muito difícil arrancar um bambu, pois o que ele tem para cima tem para baixo também. Você precisa aprofundar a cada dia suas raízes em Deus e na oração.

Terceira verdade: você já viu um pé de bambu sozinho? Apenas quando é novo, mas antes de crescer ele permite que nasçam outros a seu lado. Sabe que vai precisar deles. Eles estão sempre grudados uns nos outros, tanto que de longe parecem com uma árvore. Às vezes tentamos arrancar um bambu lá de dentro, cortamos e não conseguimos, pois eles estão trançados um no outro. Uma das grandes forças de quem é fraco é viver em comunidade. Os animais mais frágeis vivem em bandos, para que desse modo se livrem dos predadores. As aves voam em bando, assim conseguem se aproveitar do efeito vácuo deixado pelo pássaro da frente. Além disso, voam sempre cantando, como que incentivando-se mutuamente a não desistirem da meta, mesmo que seja atravessar o oceano em busca de um lugar quente para se reproduzir.

Precisamos aprender a nos trançarmos nos irmãos, criarmos raízes na oração, nos sacramentos, na garra. Criar raízes é segurar firme; pode vir a enchente que não seremos levados, pois estamos firmes no chão. Você deve estar firme na Palavra, sólido na Palavra, sólido em sua fé. Não se deixe levar por qualquer sopro de doutrina, por qualquer coisa sem sentido que vem por aí. Você tem a solidez de uma palavra firme que é o Senhor. Tenha a humildade de se curvar, faça uma confissão, peça desculpa aos outros. O cristão deve ser especialista em pedir perdão.

A quarta verdade que o bambu nos ensina é não criar galhos. Como tem a meta no alto e vive em moita-comunidade, o bambu não se permite criar galhos. Nós perdemos muito tempo na vida tentando proteger nossos galhos, coisas insignificantes a que damos um valor inestimável. Para ganhar, é preciso perder tudo aquilo que nos impede de subirmos suavemente.

A quinta verdade é que o bambu é cheio de nós. Como ele é oco, sabe que se crescesse sem nós seria muito fraco. Os nós são os problemas e as dificuldades que superamos. Os nós são as pessoas que nos ajudam, aqueles que estão próximos e acabam sendo força nos momentos difíceis. Não devemos pedir a Deus que nos afaste dos problemas e dos sofrimentos. Eles são nossos melhores professores, se soubermos aprender com eles. Mas são muito exigentes. Devemos pedir que o Espírito Santo nos ajude a passar pelos problemas, ultrapassá-los, achar-lhes um sentido, descobrir e intensificar a meta. Com o tempo, os problemas superados se tornam nós, firmes, resistentes, difíceis de serem quebrados, como as pessoas que souberam superar seus desafios e limites.

A sexta verdade é que o bambu é oco, vazio de si mesmo. Enquanto não nos esvaziarmos de tudo aquilo que nos preenche, que rouba nosso tempo, que tira nossa paz, não seremos felizes. Ser oco significa estar pronto para ser cheio do Espírito Santo.

Por fim, a sétima lição que o bambu nos dá é exatamente o título desse livro: ele só cresce para o alto. Ele busca as coisas do alto. Essa é sua meta.

Reze comigo

Senhor, tu me conheces, tu sabes de minha fraqueza, de minhas limitações, tu sabes que todas as vezes em que me dei mal foi porque tentei ser essa figueira forte, que resiste à tempestade. Mas eu não resisti, e acabei caindo na tempestade do sexo, da pornografia, da masturbação, do homossexualismo, do comodismo, do consumismo, de achar que sou mais que os outros, porque tenho alguma coisa. Acabei caindo na tempestade da mentira, do ódio, das mágoas, das drogas, da maconha, da cocaína, do cigarro. O Senhor sabe que inclusive no Natal, no ano novo eu acabei caindo na tempestade do álcool.

Mas agora quero me levantar, Senhor. Sei que tu me amas, que sou chamado para a paz, sei que só tu, Senhor, podes me dar essa paz. Eu já busquei essa paz em muitos lugares, em falsas religiões, nos prazeres e em falsas alegrias, mas agora sei que é preciso que triunfe em meu coração sua paz. Senhor, quero que cada vez mais cresça em mim seu amor, que a exemplo de Paulo eu possa dizer a cada dia: "já não sou eu que vivo, mas é Cristo que vive em mim". Já não é o ódio que vive em meu coração, mas Cristo que vive em mim, já não são as mágoas que sobrevivem em mim, mas Cristo que vive em mim; já não são os vícios que sobrevivem, mas Cristo que vive em mim. Eu te suplico, Senhor, quero ser agradecido, quero ser inteiro diante de ti, quero te louvar, te bendizer, te glorificar, Senhor, não obstante minha fraqueza, minha limitação, meus pecados, minhas misérias. Com seu infinito amor, sua bondade, sua misericórdia, me convida e me chama para esta paz, e quero, Senhor, ser construtor da paz, quero que triunfe em meu coração sua paz. Venha com teu Espírito Santo ao encontro de minha fraqueza pra que eu possa por hoje não pecar mais, e deixar me conduzir pela sua graça, parar de lamentar, reclamar, murmurar, de culpar os outros, mas deixar acontecer a graça de fazer essa pessoa nova vir à tona em teu amor, na tua bondade.

Se, portanto, ressuscitastes com Cristo, ***buscai as coisas do alto,*** *onde Cristo está sentado à direita de Deus.* ***Afeiçoai-vos às coisas lá de cima,*** *e não às da Terra* (Cl 3,1-2).

No alto está tua meta

Se no alto está nossa meta, é preciso afeiçoar-nos às coisas lá de cima, é preciso fazer a experiência de matar tudo aquilo que nos prende, que nos afunda, que nos inferniza. Lembre-se: "inferno" é irmão de "inferior"!

Afeiçoar-se às coisas do alto, em oposição às coisas da Terra, refere-se ao sentido pejorativo de Terra. Aqui, entendida como mundana, material, falível, provisória. Nesse sentido, a Terra se contrapõe ao céu. E já no Pai-Nosso, Jesus nos ensinou a pedir que a vontade de Deus se realize em nossa vida aqui na Terra assim como no céu.

Mais uma vez vemos aqui a importância de se ter uma meta. A meta é algo que gestamos no coração e realizamos, com tempo e esforço, ao longo da vida. É preciso saber onde queremos chegar. A meta é auxiliada pelos objetivos e pelos propósitos. O objetivo elucida o que quero, os propósitos percorrem os caminhos para atingir a meta. Quem não tem meta definida na vida vive como folha seca jogada nas ondas do mar. Só quem tem um objetivo, quem tem propósitos, consegue superar os obstáculos para a realização da meta.

O apóstolo Paulo percebeu, a duras penas, que somos feitos para o céu. A vida aqui é passageira. Por mais que demore, é sempre limitada. Por isso ele nos ensina a buscar as coisas do alto. E o interessante é que no mesmo versículo ele nos ordena: afeiçoai-vos às coisas lá de cima.

Ora, se ele já havia escrito sobre a necessidade de buscar as coisas do alto, por que reforça com esse imperativo "afeiçoai-vos?" Aqui se encontra o segredo do sucesso e do fracasso na vida. Antes de conseguir atingir a meta é preciso se afeiçoar, tomar as feições, ficar parecido com aquilo que desejamos atingir. Antes de existir no concreto, a meta existe como sonho, um desejo que se transforma em vontade. Por isso, jamais podemos tirar os sonhos de uma pessoa. Quem não sonha não vive. O futuro é o tempo que será construído por nós. O passado não volta e o presente, muitas vezes, é imutável. Mas se não tivemos a oportunidade de escolher nosso passado, podemos escolher e planejar nosso futuro. Com isso, vamos nos afeiçoando às coisas lá de cima.

Buscar as coisas do alto é caminhar para uma meta que sabemos que podemos atingir. Deus está do nosso lado. O ser humano foi criado para dominar o mundo e as coisas do mundo. Deus o criou como parceiro. Temos o Espírito Santo que nos inspira e impulsiona para as coisas de Deus. Ele, que conhece as coisas do alto, nos ensina a amá-las e a gestá-las no coração. Mas não adianta nada dominar máquinas se a pessoa não consegue se dominar. O primeiro domínio que devemos exercitar é o domínio sobre nós mesmos, sobre nossos desejos, acolhendo aquilo que está de acordo com as coisas do alto e rejeitando tudo aquilo que nos atrapalha na caminhada.

A certeza da morte e da vida eterna nos ajuda nesse processo. O medo da morte ou a tentação de se achar imortal, vivendo como se a morte não existisse, é uma das grandes causas da infelicidade humana. Não adianta amenizar a morte. Ela é a nossa única certeza. Sabendo disso, devemos canalizar nossa vida para valores que vencem a morte, que ultrapassam a morte, como Jesus fez e nos ensinou. Essa certeza deve tornar-se também um parâmetro para que possamos julgar nossas ações, palavras e pensamentos. Se não sou eterno, o que tornarei eterno com minha vida? É preciso deixar marcas do eterno por onde passamos e com quem convivemos.

Buscar as coisas do alto é saber que essa meta é possível de ser alcançada. Não é fácil. Fácil é ir para o inferno, já que não exige esforço nenhum. As coisas de Deus são sempre difíceis, porque nos apegamos demais às coisas aqui da Terra. Aliás, a dor maior que sentimos em nossas perdas é exatamente a dor do apego. Achamos que tudo é nosso e vivemos na ilusão de que tudo depende da gente. Quando nos apegamos a coisas e a pessoas, a cargos e a funções, passamos a ter objetivos pequenos demais. Quando temos muita coisa para olhar e para cuidar, não olhamos para o essencial, aquilo que está além do óbvio. Perdemo-nos nessas coisas da Terra. O pior é que já sabemos que são coisas passageiras, que vamos perder tudo que temos e somos, mesmo assim teimamos em brincar de esconde-esconde com a morte.

Cada vez mais o mundo se especializa em criar necessidades. Antigamente comprava-se o que realmente era necessário. Hoje acabamos necessitando de muita coisa. Parece que sem aquilo que foi lançado recentemente a gente é um eterno infeliz. Primeiro vem a tentação de comprar, depois de trocar. Nunca estamos satisfeitos. Aliás esse é o grande segredo da propaganda comercial: mostrar que você é infeliz e que poderá ser feliz quando adquirir esse ou aquele produto. E os publicitários fazem isso de modo muito atraente. Investem-se milhões em propaganda. O próprio governo federal parece gastar mais em propaganda do que em educação. É uma mina de dinheiro, exatamente porque trabalha com a sensação da insatisfação e com a promessa de curá-la.

Há alguns anos houve uma greve dos lixeiros em Nova York. Sem terrenos baldios e lugares onde se possa jogar lixo, Nova York é uma cidade feita de pedra, de edifícios e com boa fiscalização. Imaginem o que começou a acontecer depois de dois ou três dias, já que o americano é o maior produtor de lixo do mundo (e o Brasil já está em segundo lugar, com uma grande diferença, porque o Brasil não sabe aproveitar seu lixo). Em poucos dias se instalou um caos em Nova York, o lixeiro não passava e a quantidade de lixo aumentava até que um sujeito teve uma idéia: ele foi a uma papelaria, comprou umas vinte caixas de papelão, papel de presente e algumas fitas. Chegando em casa, colocou todo seu lixo naquelas caixas de papelão. Fechou, passou papel de presente, fez uns laços bem bonitos e pôs em sua caminhonete. Começou a dar voltas pela cidade e, quando achou uma esquina bem movimentada, sem guardas por perto, estacionou o carro e ficou de longe olhando. Passaram algumas pessoas, olharam aqueles pacotes de presentes ali atrás, na carroceria. Vieram outros, olharam para um lado, para outro, um teve coragem e pegou um pacote e saiu correndo, em seguida outro, e mais outro, em três minutos não havia mais nenhum pacote na caminhonete. Feliz da vida, o homem fechou a tampa da caminhonete, ligou e foi embora.

O encardido faz isso com a gente. Ele pega o lixo do mundo, o lixo do pecado, das drogas, da pornografia e da mentira e vai empacotando, amarra com uma fita bonita, e vai deixando por perto da gente. Quando passamos, aquilo nos atrai, você não quer pegar mas a mão parece seguir sozinha para aquela direção. Quando você percebe, levou para casa, encheu o coração com o lixo do pecado.

Enquanto não nos convencermos, por experiência, de que é no alto que está nossa meta e não na Terra, vamos continuar levando lixo para casa, para nosso coração, como se fosse um belo presente. Não é isso que o mundo faz com a falsa alegria?

A alegria é um dom de Deus dado ao cristão, é patrimônio nosso. O carnaval é uma festa que a princípio seria cristã, e assim era, como despedida da carne antes da quaresma, período de penitências, jejum e abstinência de carne em preparação para a grande festa da Páscoa. Por isso, a terça-feira que antecedia a quarta-feira de cinzas era a despedida da carne, e por algo bonito, porque se fazia isso em vista da construção desse reino em nós. Era um motivo de alegria, alegria retomada no segundo domingo da quaresma, chamado o domingo da alegria. Com o tempo, as pessoas vão deixando Deus de lado, e esse é um dos grandes problemas de nossa vida; com o tempo nós nos esquecemos que nossa meta é o céu.

É como o menininho que voltava da escola com os colegas, dizendo:

– Eu não quero morrer, não, porque morrer deve ser a pior coisa do mundo: quando uma pessoa morre eles colocam dentro de um caixão, tampam e jogam para debaixo da Terra.

O outro falou:

– Não! Eu escutei na Canção Nova que, quando a gente morre, se estivermos com Jesus, iremos para o céu.

– Não vai, não, rapaz. Depois de morto, como você vai para o céu?

O menininho pensou e falou:

– Alguma vez você já dormiu no sofá?

– Já.

– Quando você acordou no dia seguinte, você estava no sofá?

– Não, eu estava na minha cama.

– Como é que você pode ter ido para a cama se estava dormindo?

– Ah, meu pai ou minha mãe me pegaram dormindo no colo e me levaram para o quarto.

– Então, bobão. Jesus ensinou que quando morremos ficamos naquele caixão dormindo. Enquanto isso o Pai vem, nos pega no colo e nos põe no céu.

Jesus veio nos dizer que nossa vida está escondida no coração do Pai, "Eu vou para o Pai preparar um lugar para você." É como a mãe que entra no quarto, arruma a cama, estica o lençol, mata os pernilongos, põe uma cortina, enquanto isso o pai pega a criança que dormiu no sofá, deita-a ali na cama e lhe dá um beijo. Às vezes, quando o pai pega, a criança acorda, mas finge que está dormindo. O pai a deita na cama e lhe dá um beijo.

Jesus disse que ia para o Pai nos preparar um lugar, e é o que São Paulo nos diz nesse capítulo dos Colossenses: "Vossa vida está escondida com Cristo em Deus." Estamos, porém, em busca daqueles pacotes, e levamos lixo para nosso coração, porque só conseguimos ver as aparências. É preciso fazer essa experiência da mãe que vai preparar o quarto para o pai levar o filho adormecido, que dorme na sala e acorda no quarto. Precisamos ter essa certeza de que um dia vamos dormir aqui e vamos acordar no coração de Deus porque Jesus foi nos preparar esse lugar, mas ele prepara esse lugar com o material que mandamos.

E que material estamos mandando? Quantas e quantas pessoas estão construindo casas maravilhosas aqui na Terra, até mansões, e talvez não estejam mandando nem um papelão velho para fazer um barraco lá no céu. Pensamos que nossa meta, nossa vida está aqui embaixo, e, quando pensamos isso, nosso coração se enche dessas coisas negativas. "Se ressuscitastes com Cristo, buscai as coisas lá de cima, afeiçoai-vos às coisas lá do céu, e não às da Terra, é no alto que está vossa meta."

Para onde nós estamos encaminhando nossa vida? Tantas pessoas hoje estão infelizes, porque buscaram a felicidade, gastaram tudo pela felicidade. "Ah, padre eu trabalhei a vida inteira, economizei, juntei e agora veio uma enchente e carregou tudo, veio um terremoto e destruiu tudo, veio o ladrão e roubou."

O que ninguém rouba – e é isso que o encardido quer – é sua liberdade, sua decisão em proclamar ou não Jesus como único Senhor de sua vida. Nada nem ninguém poderá tirar isso de nós, nem nessa nem em outra vida, nem mesmo a morte poderá nos separar do amor de Deus por nós em Cristo Jesus, quando descobrimos que nossa meta está no alto e não aqui na Terra. Quantas e quantas pessoas colocaram sua meta aqui na Terra e morreram frustradas?

Santos Dumont, que era considerado louco, conseguiu projetar e criar o avião, uma das maiores invenções da humanidade. Aqui no Brasil, ninguém acreditava nele; na França lhe deram credibilidade porque seu sobrenome era francês. Mas, a maior alegria da sua vida anos mais tarde foi motivo de profunda tristeza: Santos Dumont morreu deprimido, com o coração profundamente amargurado, por ver sua invenção ser usada nas guerras para atirar bombas e matar as pessoas. Se Santos Dumont, que inventou o avião, morreu frustrado e deprimido porque viu essa boa invenção sendo usada para o mal, imagine Deus, que criou cada um de nós à sua imagem e semelhança, e colocou o céu dentro de nós. Nosso coração é o retrato desse céu, por isso o tempo todo somos atraídos para esse céu. E quando Deus vê que estamos gastando nosso tempo e nossas energias para o mal? Quando buscamos somente as coisas aqui da Terra e somos infelizes.

Quantas pessoas são milionárias, famosas e infelizes. Michael Jackson, o homem que mais vendeu discos no mundo, já gastou alguns milhões de dólares para ficar branco, esticar o cabelo, o nariz e alterar sua aparência. Você pode conseguir dinheiro para mudar seu corpo inteiro por fora. Você pode colocar próteses de silicone, fazer cirurgias plásticas, fazer lipoaspiração, pode fazer tudo por fora, mas não existe ainda, e nunca existirá, nenhum silicone, nenhuma cirurgia capaz de preencher um coração murcho, frio, vazio e machucado. Não adianta mudar a carcaça, porque isso apodrece.

E Jesus falou aos fariseus: "Vocês estão sendo sepulcros caiados." E o que é um sepulcro caiado? O cemitério é o retrato da sociedade, é fácil perceber quem era rico. Aquele túmulo enorme, de mármore, com uma estátua enorme pelo lado de fora. E por dentro? É só dar uma cavoucada lá pra ver osso podre, ossada guardada. E qual é a diferença? Jesus falou que somos iguais a esses sepulcros caiados: preocupamo-nos somente com aquilo que está por fora, com a moda, com esse pacote de presente, mas por dentro estamos apodrecendo, por isso vivemos angustiados, tristes e amargurados. Onde está aquela sua alegria, aquela felicidade que brota de dentro?

A felicidade para o *mundo light* é a felicidade do bem-estar. O que é bem-estar? É não estar sentindo nenhuma dor, não ter nenhum problema para resolver, não ter ninguém por perto atormentando e, ainda, ter dinheiro para comprar o que eu quiser. Isso é bem-estar.

Esse não é o ideal cristão. Jesus Cristo nos traz felicidade por meio da paz, mas não é a felicidade dos acomodados. Buscar as coisas do alto é luta, é garra, e não esse papel bonito em volta. O encardido sabe que para nos enganar é preciso falsificar. A alegria é patrimônio nosso, a alegria é o primeiro fruto do Espírito Santo, mas como nós não buscamos a alegria em Deus, vamos em busca da alegria que o encardido dá. Quantas pessoas no mundo morreram frustradas?

Marilyn Monroe, famosa atriz que seduziu Presidentes da República, no fim de sua vida, afundou-se nas drogas. Ela tinha que introduzir a droga, morfina e a cocaína, em forma de supositórios, pois não lhe fazia mais efeito aplicar na veia, nem cheirar, nem fumar. Olha onde a pessoa chega.

Quantos morreram de overdose? A alegria do mundo é assim, é dada pelo encardido aos poucos. A pessoa se acostuma com um golinho de cerveja hoje, um cigarrinho amanhã, vai aumentando, quando percebe está presa. O encardido tem uma paciência medonha, tem mais paciência que mineiro!

Um casal de mineiros conversava em uma fazenda sentado no alpendre. De repente, viram ao longe o compadre deles andando. O marido falou:

– Oh, mulher, não é o compadre Adorfinho que está vindo lá?

– É, o jeito de andar é dele.

– Estou achando que é o compadre Adorfinho!

– Parece. Uai, aonde será que o compadre Adorfinho está indo uma hora dessas?

– Ah, não sei, ele está indo para algum lugar.

– Tá indo sim, porque ele está andando. Oh, mulher, estou achando que ele está vindo aqui em casa!

– É mesmo, ele passou pela porteira lá.

– É mesmo, o compadre Adorfinho está vindo mesmo. O compadre Adorfinho é sossegado, né?

Aí o compadre Adorfinho chegou.

– Oh, compadre, eu acabo de chegar.

– Entra pra dentro. Vai fazer um café, bem, vai. – Mas compadre Adorfinho, a que devo uma visita tão solene uma hora dessas? Que surpresa!

– Mas, compadre, eu tava lá em casa observando o sítio do senhor, e eu lá lembrei daquele cavalo que o senhor comprou, aquele cavalo de raça, aquele cavalo caro. Ele fuma?

– Não!

– Então pegou fogo no celeiro.

O encardido tem mais paciência que o compadre Adorfinho. Ele vem devagarzinho. Quando avisa, o cavalo já tinha virado fumaça fazia tempo. Ele nos engana porque sabe esperar. Por que a Bíblia fala que o encardido é uma serpente? Porque a cobra fica no meio do mato, quietinha, olhando você, que nem a percebe. O encardido estuda cada um de nós, e vai descobrindo qual é nosso ponto fraco. Será que meu ponto fraco é a língua? Aí ele estuda a minha língua. O outro é especialista em oftalmologia, aí fica observando meu olhar, onde eu sou tentado a olhar, e o outro vê meus ouvidos. E assim vai, porque os dois caminhos preferidos do encardido para entrar em nosso coração são os ouvidos e os olhos. Ele adora entrar em nosso coração pelo ouvido, ele nos seduz com as fofocas.

O encardido gosta de nos seduzir para depois nos desafiar. Principalmente a pessoa orgulhosa, essa é a preferida. Esse compadre Adorfinho tinha uma mula velha, que não valia quase nada, só servia para dar algumas voltas. Mas no Biguá havia um homem muito rico e chique, que foi a um leilão e comprou um cavalo de cem mil reais; era um cavalo de exposições. Um dia eles estavam inaugurando uma ponte, chegou o tal homem com seu cavalo maravilhoso. O compadre Adorfinho olhou o cavalo e falou:

– É um cavalo mais ou menos.

– Como cavalo "mais ou menos"? É um cavalo de raça que custou cem mil reais.

– É, pode ser, mas eu não troco a minha mula por ele.

– Oh, compadre Adorfinho, deixe de ser bobo. Sua mula não vale mais nada, se for vender por cem reais ninguém compra. Nem dentes ela tem mais.

– Olhe, essa mula faz coisas que nem esse cavalão faz.

O dono do cavalo escutou, sentiu-se desafiado e perguntou:

– Como é? O senhor está comparando essa mula aí com meu cavalo?

– Eu não estou querendo comparar. Conheço animais e estou falando que minha mula faz coisas que o senhor não faz com seu cavalo.

– Oh, senhor Adorfinho, eu respeito o senhor porque já é um senhor de idade, mas não compare uma mula pangaré dessa aí com um cavalo desse aqui, um cavalo de raça árabe, puro sangue, um cavalo especial.

– Mas eu faço coisas com minha mula que o senhor não faz com seu cavalo.

Começou a provocar o homem, e o povo foi se colocando em volta, o homem foi ficando nervoso.

– Senhor Adorfo, o senhor precisa respeitar mais os outros também. Eu gastei um dinheirão nesse cavalo, e agora o senhor fica aí me humilhando, fique sabendo que esse cavalo faz tudo que o senhor imaginar.

– É, pode até fazer, mas eu faço coisas com minha mula que o senhor não faz com seu cavalo. Paga pro senhor ver.

– Pagar o quê?

– Nós podemos fazer uma aposta, vamos apostar dez mil?

– Oh, senhor Adorfinho, onde o senhor vai conseguir esse dinheiro?

– Eu consigo, e eu sou um homem de palavra. E o senhor?

Chamaram o pessoal para testemunhar e fizeram a aposta.

O senhor Adorfinho pegou a mula, puxou e encostou-a na beira da ponte e a empurrou no rio. Claro que isso o homem não faria com um cavalo tão caro. Adorfinho jogou a mula na pirambeira e ainda ganhou dez mil.

O encardido faz isso: vai rodeando a pessoa que tem sua meta aqui na Terra e que quer ser mais que as outras e faz como compadre Adorfinho fez. Você jogaria seu cavalo de cem mil reais na pirambeira para ganhar dez? O encardido faz isso, e faz você jogar algo que vale muito mais que dez mil. Ele faz você jogar sua vida na pirambeira do pecado. Quantas vidas eu tenho visto na pirambeira da droga, na pirambeira da prostituição e da mentira, na pirambeira do ódio, do desamor, e a pessoa está lá naquele buraco, em uma depressão profunda, e não consegue sair de lá porque acreditou nos desafios do encardido e quis disputar com ele. Nós não temos que disputar com ele.

"Se ressuscitastes com Cristo, buscai as coisas do alto." Eu não sou melhor do que ninguém, e preciso saber até onde vai minha força e minha fraqueza. Minha força vem do Senhor, mas minha fraqueza vem do mundo, de meus ouvidos, meus olhos, minha fraqueza vem de meu orgulho e de minha prepotência, em querer ser mais que os outros.

Qual isca o encardido está usando para pegar você? Você, que nasceu para o céu, foi criado para Deus, e que coisa mais linda e fabulosa é a descrição da criação do ser humano, obra-prima das mãos de Deus, feita à sua imagem e semelhança. Por isso o encardido fica com inveja e quer nos destruir. Ele quer que acreditemos que a nossa meta está aqui. Uma pessoa que acredita que sua meta está no aplauso dos outros vai fazer de tudo para ser aplaudido e elogiado. Uma pessoa que acredita estar sua felicidade no dinheiro e em posses é capaz de vender o coração inteiro para o encardido só para poder ter mais que os outros. "Ah, eu quero ser famoso."

É como o Gênesis nos conta, quando o povo de Deus chegou naquela planície, um quis ser mais que o outro. Então edificaram uma torre até o céu, para que fossem o povo mais famoso da Terra. Aí Deus diz: "Não, esse povo está falando uma língua só, mas está falando uma língua estragada. É preciso confundir essa língua." E a Torre de Babel surgiu desse querer ser mais que o outro. Que tristeza quando o encardido enche nossos ouvidos e nossos olhos com a ganância, que destrói tantas pessoas.

Precisamos educar nossas crianças para Deus. A criança de hoje não sabe esperar: ela bate o pé, grita e a mãe já atende. O adolescente também não quer esperar. Antigamente pra gente comprar uma camisa levava um ano e a gente sabia esperar.

Hoje é muito fácil comprar roupas: se faltar dinheiro, pode-se pagar um pouco por mês. Compra a camisa, a calça, a televisão, o rádio, a cama, o ventilador, e a cada dia a família vai comprando e fazendo dívidas e mais dívidas. E para pagar tem que trabalhar. Aí se vai ficando nervoso, a família começa brigar, e não tem mais tempo de rezar junto. Existem pais preocupados em pagar as dívidas que fizeram para comprar tudo o que os filhos queriam, mas sem tempo para levar o filho à catequese de primeira comunhão.

Hoje temos dinheiro para comprar muitas roupas coloridas, tantas e tantas coisas. E hoje as pessoas põem roupa e tiram a roupa para servir o encardido. Que tristeza ver o mundo caminhando para esse buraco achando que ali está a felicidade. A felicidade do ter, do poder e do prazer. Levamos esses pacotes do lixo do pecado, do lixo da mentira e do egoísmo para nossas casas, para nossos corações e para nossas vidas. É preciso despir-se do homem velho e buscar a meta que está no alto, não na Terra. O que eu estou buscando? Minha vida passa, num pequeno toque, em um tombo, e o que eu levo dela? Quem sabe hoje você abre seu armário e está cheio de roupas (sim, porque cada quarto tem que ter um armário). Lá no Biguá, nós tínhamos um guarda-roupa de duas portas, em que cabia a roupa de todos e ainda sobrava espaço para os travesseiros e cobertores.

Quando passava o jipe do padre Arlindo, era dia de acabar o serviço mais cedo, tomar banho, e, se a missa era às sete, às cinco e meia nós já estávamos indo em fila com o papai e a mamãe para a igreja. Que maravilha esses pais que não deixaram herança para os filhos. Em vez de dinheiro, fazendas, carros, deixaram Deus, a única herança que o mundo não tira. Que maravilha esses pais que puderam mostrar a meta do alto, que conseguiram enxergar além das aparências. Ainda hoje vemos na catequese, a poucos dias da 1ª Comunhão, as pessoas se reunirem muitas vezes para discutir como será a roupa, como será o enfeite, em alguns lugares já se reserva com um ano de antecedência o clube onde vai ser o almoço do dia tão comentado. E quem sabe não falte tempo para sentar juntas e experimentar esse amor de Deus.

Que maravilha aquele menino que tinha a experiência de um pai que o carregava no colo. Se aquele menino não soubesse que quando ele dormia no sofá e acordava no quarto era porque tinha um pai que o carregava no colo, ele não ia pensar em Deus.

Quantas pessoas hoje não conseguem pensar em Deus porque os pais têm tanta coisa para comprar que não têm tempo de carregar o filho do sofá para colocar na cama. Por isso o filho não sabe que um dia vai ser carregado dessa vida para o alto, e acaba se deixando levar para o fundo do poço, para o abismo das drogas, da prostituição, da violência.

Pai e mãe, não deixem de pegar seu filho que dorme na sala, no tapete às vezes, ou como o Bibi lá em Bethânia, um dos meus filhinhos pequeninos, capaz de deitar na perna do pai e dormir. O filho que um dia abriu os olhinhos só um pouquinho porque sentiu aquele cheiro do pai ou da mãe que o carregava do tapete ou do sofá, para aquela cama quentinha, cheirosinha, pode ser que um dia perca tudo na vida, pode ser que não tenha dinheiro para comprar uma calça comprida, mas ele tem o cheiro do céu. Quem tem cheiro de pai, quem tem cheiro de mãe, tem cheiro do céu, tem cheiro de Deus, tem cheiro da vida.

Reze comigo

Senhor! Eu quero encontrar esse céu, quero experimentar esse céu, quero me encher desse céu. Hoje, Senhor, sinto meu coração talvez como o daquele menino que acha que ao morrer vai para o fundo da terra, e que tudo acaba, porque aqui no meu coração, Senhor, falta o calor, o cheiro do braço e do abraço de meu pai e de minha mãe que tivessem me carregado do sofá da sala para a cama quentinha do quarto. Senhor, tenho dormido muitas e muitas vezes no pecado, dormido embriagado, dormido sob o efeito das drogas, dormido cheirando a cigarro, a maconha. Eu tenho dormido, Senhor, em quartos e camas de motéis, de lugares terríveis e quando acordo, Senhor, estou pior do que antes de dormir, estou na ressaca, com dor de cabeça, estou com a boca amarga, estou com os olhos ardendo, porque ninguém me levou para o quarto, Senhor. Jesus, que foste capaz de ficar nu, de se despir, hoje eu te peço, vem me buscar, Jesus, aqui onde estou caído, vem me buscar, Jesus, aqui nesse buraco do pecado e me leva para o colo de Deus, para o coração de Deus, me leva para a ternura e misericórdia desse Deus. Esse Deus de que muitas vezes já estive tão longe, mas que hoje eu quero ficar perto.

É preciso buscar a meta

"Afeiçoai-vos às coisas lá do céu, e não às da Terra." Às vezes ficamos encasquetados, remoendo algumas coisas. Por que Deus nos pôs na Terra? E para quê? Para sofrer? Nós precisamos entender muito bem o que São Paulo nos ensina, senão caímos em um perigo pelo qual a Renovação Carismática e outros movimentos já passaram: "Eu entreguei minha vida para Jesus, eu entreguei meus problemas para Jesus."

Um Senhor chegou à igreja e falou:

– Padre, vim pedir uma oração.

O padre falou:

– Para você receber a graça, precisa ter muita fé.

– Eu tenho muita fé, padre. Tenho tanta fé que vim a cavalo e larguei meu cavalo solto na frente da igreja, pois acredito que Deus cuidará dele.

– Vá amarrar seu cavalo. Você não acha que Deus tem coisa mais importante para fazer do que ficar segurando cavalo na porta da igreja?

Então, o que é essa fé?

São Paulo era um homem de pé no chão, um homem que passou por um processo de conversão fabuloso. Caiu do cavalo, cheirou o pó da terra. Ele queria entrar em Damasco em cima do cavalo imponente, mas entrou cego e sendo guiado. Paulo fez uma profunda experiência desse Deus e trabalhou mais do que ninguém. Viajou pelo mundo, sofreu, esteve preso várias vezes.

Não é uma frase idealista? "A vossa meta está no céu, não na Terra." Não se preocupe com as coisas da terra, não se preocupe com as coisas do mundo. Se você ficar procurando só as "coisas" e não a vida, então vai morrer, pois essa vida aqui da terra é muito importante: foi criada por Deus. Tudo isso é obra dele. O ser humano é a mais preciosa obra de Deus: enquanto o universo inteiro é fruto da Palavra de Deus, o ser humano foi feito pelas mãos dele. E é essa a grande ofensa que o encardido quer fazer a Deus. Como não pode atingir a

Deus, ele tenta atingir o ser humano, que foi feito à imagem e semelhança de Deus.

São Paulo quer nos ensinar que o grande objetivo de nossa vida não está nas coisas terrenas. O alvo a que nós aspiramos não pode ser os falsos valores que o mundo inventou e continua inventando para nós. O que faz uma pessoa se desviar é perder essa meta, é perder o alvo e não saber mais para onde vai. Quem não sabe para onde vai, atrapalha-se diante de qualquer coisa.

Nós, que conhecemos jovens drogados, jovens que chegam à nossa comunidade no fundo do poço, podemos entender bem essa dinâmica da derrota. Quando você vê uma vela acesa no altar, se consumindo, percebe que ela ilumina e vai diminuindo até acabar. A vela se consome para gerar luz. E se você pegar uma vela, colocar em outra, e outra na outra, ela não diminui seu foco, ela partilha e aumenta, gasta-se, mas ilumina. Quando vemos jovens drogados ou prostituídos ou um pai de família alcoolizado, entendemos o que diz essa frase: "Só por ti, Jesus, eu quero me consumir."

Por quem estou consumindo minha vida? "No alto está a vossa meta." Essa verdade deve iluminar nossa vida a cada dia, com relação a nosso dinheiro, nosso corpo, nossa sexualidade – sexualidade não é coisa feia, é uma coisa maravilhosa, mas é preciso olhar para ela e para nosso corpo e dizer: "É no alto que está a minha meta." Quando olhamos para essa frase, entendemos o objetivo ("para quê") e a razão ("por quê"). Por que vou viver a castidade? Se eu não tiver um motivo muito claro – por que viver e para que viver –, isso não tem sentido. Se não sei que é no alto que está minha meta, se eu penso que minha meta está nas coisas, vou buscar ser aplaudido, vou buscar na vida ser mais do que os outros.

Paulo teve uma experiência fantástica. Por ter uma meta muito clara, encontrou motivos para viver. O Papa, em uma cartinha, na campanha da fraternidade, disse que o grande problema da juventude e dos adultos dependentes químicos não é a droga em si, mas a falta de um sentido para a vida. O mundo nos ensina um sentido muito pequeno: "Ah, eu preciso ser feliz, eu quero ser feliz, eu mereço ser feliz." O ser humano nasceu para ser feliz. Deus é feliz, a suprema felicidade, a bem-aventurança por excelência, ensina o primeiro capítulo do catecismo da Igreja Católica. E esse Deus que é feliz por excelência partilha felicidade, por isso nos criou para a alegria e essa deve ser a marca registrada do cristão.

Mais de oitocentas vezes aparece na Bíblia a palavra alegria. A alegria é propriedade nossa, mas o encardido quer nos tirar a verdadeira alegria, nos propondo a falsa alegria. Ser feliz vira sinônimo de bem-estar, ser feliz é fazer o que quero, do jeito que eu quero e na hora que eu quero. "Ah, aquela fulana deve ser feliz porque tem dinheiro, aquele rapaz deve ser feliz porque é bonito." Mas será que beleza é sinônimo de felicidade?

Onde estão os jovens que fizeram grandes sucessos no mundo? Elvis Presley, John Lenon... E no Brasil quantos artistas ricos, bonitos e famosos terminaram suas vidas infelizes? Dinheiro e poder compram tudo? "Ah, se eu usar aquela roupa fico bonito." Vai ficar é um feio mal arrumado ou bem arrumado, tanto faz. O "consumismo consome", daí a importância de saber nossa meta, porque se a meta é o "ter", veja bem o círculo vicioso que se vai criando, e como isso faz você infeliz.

Se o importante fosse só o ter, a gente economizava, juntava dinheiro e comprava. Mas a meta não é só o ter, a meta é ter aquilo que inventam que precisamos "ter" para sermos felizes. A meta do mundo é o consumismo, é ter que comprar. Há pessoas que ficam nervosas e precisam sair para comprar, sem saber o quê. Abrem o armário, têm trinta calças, vinte camisas, cinqüenta sapatos e não sabem que roupa vestir. O problema não está na roupa, mas nós acreditamos que está. E a pessoa fica triste, fica nervosa. "Ah, eu queria tanto comprar aquilo!"

Essa é a história da grande maioria das pessoas que buscam suas metas aqui, e se esquecem de que nossa grande meta está lá em cima. Não vêem o sentido naquilo que fazem, e quem vive uma vida sem sentido acaba perdendo a própria vida, porque se consome pelo "ter", busca mais e mais, mas nunca está satisfeito.

E você começa a gastar sua vida e seu tempo e não tem mais tempo nem de rezar, de ir a uma missa. As coisas de Deus são as primeiras que nós deixamos de lado. "Ah, padre eu não sei por que as coisas não vão bem em minha vida. Eu sempre fui tão bom, eu rezo, pago o dízimo lá na minha paróquia, eu dou dez reais." E quanto paga de dízimo para o encardido? "Não, padre! Eu não dou dinheiro para essas coisas, não!" Mas tem um maço de cigarros no bolso. O cigarro é o incenso do encardido. E as grandes empresas de tabaco investem bilhões de dólares especialmente voltados ao mercado brasileiro, o segundo maior consumidor de cigarros do mundo, para fazer um cigarro mais *light* ainda (já existe o cigarro *light*, com menos alcatrão, menos nicotina, mas com 4.250 substâncias nocivas).

O que nos deixa mais tristes é saber que os países onde mais se consomem cigarros no mundo são países que se dizem católicos: Polônia, Alemanha, Holanda, Espanha e Brasil, e onde o catolicismo está em expansão. A Índia está tendo uma explosão do catolicismo maravilhosa, inclusive com muitas vocações sacerdotais. No Brasil e outros países da América Latina, há ao mesmo tempo um aumento no consumo do cigarro e de bebidas alcoólicas. Países pobres pagam o dízimo.

E para o encardido é o diário. O cigarro consome, a bebida alcoólica consome, a novela consome. A novela cria um referencial falso, um modelo de vida *light,* onde tudo está bem.

Pode-se viver de qualquer jeito porque no final tudo dá certo. Mas por dentro das novelas veicula-se uma mensagem contra a nossa fé. Eu não tenho medo de falar isso, hoje a Igreja Católica tem um grande inimigo nos meios de comunicação. Por que? Nos últimos anos os canais de televisão abertos no Brasil estão aumentando o número de programas contra a fé. Programas inteirinhos escritos e baseados no roteiro do encardido.

Quando passamos a estudar a Palavra de Deus é impressionante, quando as coisas começam a ir mal, encontrar a pergunta: "Onde foi que nós erramos?" Na Bíblia Ave-Maria, essa pergunta aparece cinqüenta e quatro vezes. Quando as coisas iam mal, o povo de Deus parava, perguntava e fazia um exame de consciência, para chegar à seguinte conclusão: "Nós nos afastamos do Senhor, deixamos o Senhor de lado, e por isso as coisas vão mal." A pergunta que se faz não é: Quem é o culpado pela nossa derrota? Por que nossa família vai mal? Por que nossa comunidade vai mal? Por que nosso grupo de oração vai mal? A pergunta da Bíblia é diferente: Por que nós não estamos bem? Por que e onde nós nos afastamos do Senhor? É comunidade e não comodidade. Leiam o livro do Êxodo, o livro de Josué e principalmente o livro de Juízes. No livro de Juízes, do princípio ao fim, aparece isso. A comunidade se reúne e diz: "Pecamos contra o Senhor." A cada vez que eram derrotados em uma batalha, cada vez que perdiam uma guerra, paravam o resto do povo e faziam um exame de consciência: "Em que precisamos mudar?" E geralmente a resposta é: "Nós nos afastamos do Senhor Nosso Deus."

Nós nos afastamos de nossa meta. Vejamos a história do povo de Deus nos quarenta anos para entrar na terra prometida. Por que levou quarenta anos para sair do Egito e chegar até ali? Por que demorou tanto? Primeiro, porque tinha uma meta, e porque sabia onde ia chegar. Mas cada vez que o povo errava, cada vez que o povo pecava, cada vez que o povo abandonava o Senhor e deixava Deus de lado, as coisas começavam a ir mal. E é por isso que vai mal a sua comunidade, é por isso que vai mal a sua família, é por isso que vai mal seu namoro. É porque falta uma meta, você não sabe aonde ir, e quem não sabe aonde ir se enrosca diante de qualquer coisinha. Mas o mundo se afasta e deixa passar quem sabe aonde vai, mesmo que seja com uma cruz nas costas, como Jesus Cristo o fez.

Portanto, achar uma meta significa também descobrir as causas: por que não estamos bem? Não é buscar o culpado. Nem a quem eliminar. O cristão não tem limite, nosso único limite é a cruz, e a cruz é salvação para nós. Hoje se eliminam pessoas como se fossem objetos descartáveis. Uma grande caminhada se faz com pequenos passos, observe o mecanismo de andar. Para você andar mais depressa, é só mudar a perna de trás, esqueça a outra, só muda aquela que ficou para trás. Faça o teste. O que me faz desistir da caminhada não é o cansaço, é não saber para onde ir, e nem por que ir.

Sob o sol quente do meio-dia, se alguém lhe convidar para ir a algum lugar, você vai dizer: "Um calor desses, ao meio-dia, eu não vou, não!" Mas se um filho seu ficar doente, e precisar percorrer quatro quilômetros debaixo de um sol de quarenta graus para chegar ao médico ou ao hospital, você não fica olhando para o filho e dizendo que o sol está muito quente e que o calor é de quarenta graus. Não há quem segure, você passa cerca de arame, você vai porque tem uma meta, e sabe para onde vai.

É preciso ter uma meta, e a nossa meta é muito grande. Quem se acostuma com coisa pequena não pode ir para o céu. Quem se contenta com pouco vai para o inferno, que é muito fácil, e vai cavando sua cova, já. O céu é para quem sonha grande, pensa grande, ama grande e tem a coragem de viver pequeno. Isso é o céu.

É no alto que está a sua meta, mas você está aqui no chão. Quanto menor você se fizer, maior será em Deus. Por que será que Deus sempre escolhe os piores? Porque se ele escolhesse os melhores, o que ele faria com os piores? O que Deus faria com aqueles que querem ser mais que os outros?

Lúcifer, que vem da palavra "luz", era o responsável pela luz. Ele jogava luz para iluminar os outros, mas quis jogar luz para si. É como olhar para o sol: cega. E quando uma pessoa não enxerga, sai dando cabeçadas. O anjo responsável pela luz se cegou com a própria luz, porque não quis ser servo, porque não percebeu que sua meta estava no alto. Você está rezando para quê? Você está trabalhando para quê? Para alcançar essa meta? Para ser aplaudido? Para ser elogiado? Para que as pessoas amem você? Se você quer ser medíocre, viva na média e será a pessoa mais adorável do mundo. Mas o que é viver na média? Média nós vimos na escola, se a criança tirou dez no começo do ano, e quatro no final, soma-se e divide-se por dois: média sete, passou direto, mas não sabe nada da segunda prova.

E esse é o tipo de cristão que existe hoje. Primeiro ele coloca metade de seu corpo no forno do pecado, e a outra metade de seu coração na frieza do egoísmo, que torna as pessoas frias, feridas, machucadas.

Só existe um jeito de acharmos essa meta, e Jesus diz: É preciso olhar para aquele que foi transpassado!

Reze comigo

Senhor, põe em mim um coração novo. Quero viver essa dimensão de ser para os outros e deixar-me consumir como tu mesmo, Senhor, te consumiste por inteiro na cruz até chegar a não ter mais sangue. Eu também estou me consumindo, Senhor, só que estou me consumindo pelo ódio. Estou sendo consumido por tantas mentiras em minha vida, Senhor. Comecei mentindo para o pai, para a mãe, de repente estava mentindo para Deus. De tanto mentir para Deus, passei a mentir para mim mesmo. Estou me consumindo hoje, Senhor, pelo vício do sexo, o vício do sexo pelos meus olhos por meio da pornografia, da Internet, das revistas. Estou me consumindo pela pornografia de meus ouvidos, das músicas que eu escuto, Senhor, que sujam meu coração. Eu estou me consumindo, Senhor, pelo consumismo.

Ajuda-me a descobrir minha meta. Ajuda-me a buscar as coisas do alto.

Impresso em papel chamois bulk dunas 90 g/m^2 por
Editora Parma. Agosto de 2008.